Business Model YOU

ビジネスモデルYOU

A One-Page Method for Reinventing Your Career

キャリア再構築のための１ページメソッド

著＝ティム・クラーク
共著＝アレックス・オスターワルダー＆イヴ・ピニュール

共同制作＝43カ国328人の、仕事と人生の達人

訳＝神田昌典

SE
SHOEISHA

Business Model YOU by Tim Clark,
Alexander Osterwalder, and Yves Pigneur

本書を推薦する言葉

まずは「あなた自身」から

世界中でベストセラーになった『ビジネスモデル・ジェネレーション』の共著者の一人が、そこで提示された「ビジネスモデル・キャンバス」の考え方を個人のキャリア構築の設計へと拡張した。経営の大前提は「当事者意識」にある。他人事になってしまえば、経営も戦略もあり得ない。自分自身の「ビジネスモデル」であれば、嫌でもオーナーシップをもって考える。ここに本書の秀逸さがある。個人としてのキャリア戦略を描くために有用なのはもちろん、前書で展開された「ビジネスモデル・キャンバス」に基づいて自社のビジネスモデルを構想するためにも、絶好のトレーニングとなる。

あなた自身とあなたのビジネスについて、これまでと違ったストーリーが見えてくるはずだ。

楠木 建（一橋大学大学院教授）

YOU

仕事と人生の達人、328人との共同制作…

本書「ビジネスモデルYOU《ユー》」には、「フォーラムメンバー（共同制作者）」という言葉がたくさん出てきます—— 執筆初期から本書を読みこみ、一緒に創り上げてきた人達のことです。各章のドラフトを批評したり、事例や気づきを与えてくれたりと、本書の制作にあたって多大なる努力とサポートを頂きました。前ページに彼らの写真、下記に名前を掲載しています。

Adie Shariff
Afroz Ali
AJ Shah
Alan Scott
Alan Smith
Alejandro Lembo
Alessandro De Sanctis
Alexander Osterwalder
Alfredo Osorio Asenjo
Ali Heathfield
Allan Moura Lima
Allen Miner
Amber Lewis
Andi Roberts
Andre Malzoni dos Santos Dias
Andrew E. Nixon
Andrew Warner
Anne McCrossan
Annemarie Ehren
Annette Mason
Ant Clay
Anthony Caldwell
Anthony Moore
Anton de Gier
Anton de Wet
Antonio Lucena de Faria
Beau Braund
Ben Carey
Ben White
Bernd Nurnberger
Bernie Maloney
Bertil Schaart
Björn Kijl
Blanca Vergara
Bob Fariss
Brenda Eichelberger
Brian Ruder
Brigitte Roujol
Bruce Hazen
Bruce MacVarish
Brunno Pinto Guedes Cruz
Bryan Aulick
Bryan Lubic
Camilla van den Boom
Carl B. Skompinski
Carl D'Agostino
Carles Esquerre Victori
Carlos Jose Perez Ferrer
Caroline Cleland
Cassiano Farani
Catharine MacIntosh
Cesar Picos
Charles W. Clark
Cheenu Srinivasan
Cheryl Rochford
Christian Labezin
Christian Schneider
Christine Thompson
Cindy Cooper
Claas Peter Fischer
Claire Fallon
Claudio D'Ipolitto
Császár Csaba
Daniel E. Huber
Daniel Pandza
Daniel Sonderegger
Danijel Brener
Danilo Tic
Darcy Walters-Robles
Dave Crowther
Dave Wille
David Devasahayam Edwin
David Hubbard
David Sluis
Deborah Burkholder
Deborah Mills-Scofield
Denise Taylor
Diane Mermigas
Dinesh Neelay
Diogo Carmo
Donald McMichael
Dora Luz González Bañales
Doug Gilbert
Doug Morwood
Doug Newdick
Dr. Jerry A. Smith
Dustin Lee Watson
Ed Voorhaar
Edgardo Vazquez
Eduardo Pedreño
Edwin Kruis
Eileen Bonner
Elie Besso
Elizabeth Topp
Eltje Huisman
Emmanuel A. Simon
Eric Anthony Spieth
Eric Theunis
Erik A. Leonavicius
Erik Kiaer
Erik Silden
Ernest Buise
Ernst Houdkamp
Eugen Rodel
Evert Jan van Hasselt
Fernando Saenz-Marrero
Filipe Schuur
Floris Kimman
Floris Venneman
Fran Moga
Francisco Barragan
Frank Penkala
Fred Coon
Fred Jautzus
Freek Talsma
Frenetta A. Tate
Frits Oukes
Gabriel Shalom
Gary Percy
Geert van Vlijmen
Gene Browne
Ginger Grant, PhD
Giorgio Casoni
Giorgio Pauletto
Giselle Della Mea
Greg Krauska
Greg Loudoun
Hank Byington
Hans Schriever
Hansrudolf Suter
Heiner Kaufmann
Hind
IJsbrand Kaper
Iñigo Irizar
Ioanna Matsouli
Ivo Frielink
Iwan Müller
Jacco Hiemstra
James C. Wylie
James Fyles
Jan Schmiedgen
Jason Mahoney
Javier Guevara
Jean Gasen
Jeffrey Krames
Jelle Bartels
Jenny L. Berger
Jeroen Bosman
Joeri de Vos
Joeri Lefévre
Johan Ploeg
Johann Gevers
Johannes Frühmann
John Bardos
John van Beek
John Wark
John L. Warren
John Ziniades
Jonas Ørts Holm
Jonathan L. York
Joost de Wit

Joost Fluitsma
Jordi Collell
Juerg H. Hilgarth-Weber
Justin Coetsee
Justin Junier
Kadena Tate
Kai Kollen
Kamal Hassan
Karin van Geelen
Karl Burrow
Katarzyna Krolak-Wyszynska
Katherine Smith
Keiko Onodera
Keith Hampson
Kevin Fallon
Khushboo Chabria
Klaes Rohde Ladeby
Kuntal Trivedi
Lacides R. Castillo
Lambert Becks
Laura Stepp
Laurence Kuek Swee Seng
Lauri Kutinlahti
Lawrence Traa
Lee Heathfield
Lenny van Onselen
Linda Bryant
Liviu Ionescu
Lukas Feuerstein
Luzi von Salis
Maaike Doyer
Maarten Bouwhuis
Maarten Koomans
Manuel Grassler
Marc McLaughlin
Marcelo Salim
Marcia Kapustin
Marco van Gelder
Margaritis Malioris
Maria Augusta Orofino
Marieke Post
Marieke Versteeg
Marijn Mulders
Marjo Nieuwenhuijse
Mark Attaway
Mark Eckhardt
Mark Fritz
Mark Lundy
Mark Nieuwenhuizen
Markus Heinen
Martin Howitt
Martin Kaczynski
Marvin Sutherland
Mats Pettersson
Matt Morscheck
Matt Stormont
Matthijs Bobeldijk
Megan Lacey
Melissa Cooley
Michael Dila
Michael Eales
Michael Estabrook
Michael Korver
Michael N. Wilkens
Michael S. Ruzzi
Michael Weiss
Mikael Fuhr
Mike Lachapelle
Miki Imazu
Mikko Mannila
Mohamad Khawaja
Natasja la Lau
Nathalie Ménard
Nathan Robert Mol
Nathaniel Spohn
Nei Grando
Niall Daly
Nick Niemann
Nicolas De Santis
Oliver Buecken
Olivier J. Vavasseur
Orhan Gazi Kandemir
Paola Valeri
Patrick Betz
Patrick Keenan
Patrick Quinn
Patrick Robinson
Patrick van der Pijl
Paul Hobcraft
Paul Merino
Paula Asinof
Pere Losantos
Peter Gaunt
Peter Quinlan
Peter Schreck
Peter Sims
Peter Squires
Petrick de Koning
Philip Galligan
Philippe De Smit
Philippe Rousselot
Pieter van den Berg
PK Rasam
Rahaf Harfoush
Rainer Bareiß
Ralf de Graaf
Ralf Meyer
Ravinder S. Sethi
Raymond Guyot
Rebecca Cristina C Bulhoes
Silva
Reiner Walter
Renato Nobre
Riaz Peter
Richard Bell
Richard Gadberry
Richard Narramore
Richard Schieferdecker
Rien Dijkstra
Robert van Kooten
Rocky Romero
Roland Wijnen
Rory O'Connor
Rudolf Greger
Sang-Yong Chung (Jay)
Sara Coene
Scott Doniger
Scott Gillespie
Scott J. Propp
Sean Harry
Sean S. Kohles, PhD
Sebastiaan Terlouw
Shaojian Cao
Simon Kavanagh
Simone Veldema
Sophie Brown
Steve Brooks
Steven Forth
Steven Moody
Stewart Marshall
Stuart Woodward
Sune Klok Gudiksen
Sylvain Montreuil
Symon Jagersma
Tania Hess
Tatiana Maya Valois
Tom Yardley
Thomas Drake
Thomas Klimek
Thomas Røhr Kristiansen
Thorsten Faltings
Tiffany Rashel
Till Kraemer
Tim Clark
Tim Kastelle
Toni Borsattino
Tony Fischer
Travis Cannon
Trish Papadakos
Tufan Karaca
Ugo Merkli
Uta Boesch
Veronica Torras
Vicki Lind
Vincent de Jong
Ying Zhao-Chau
Yves Claude Aubert
Yves Pigneur

…43カ国から参加

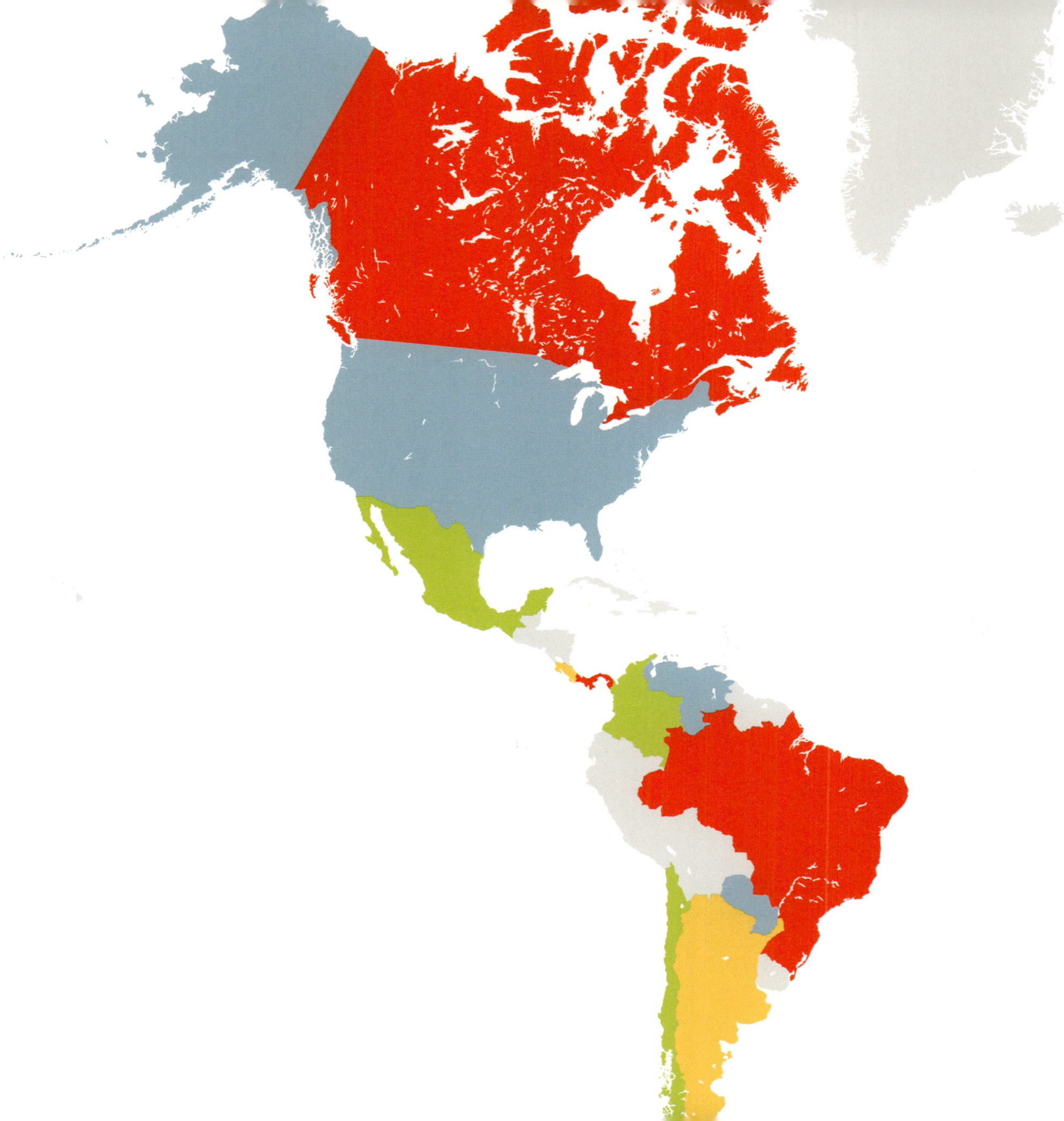

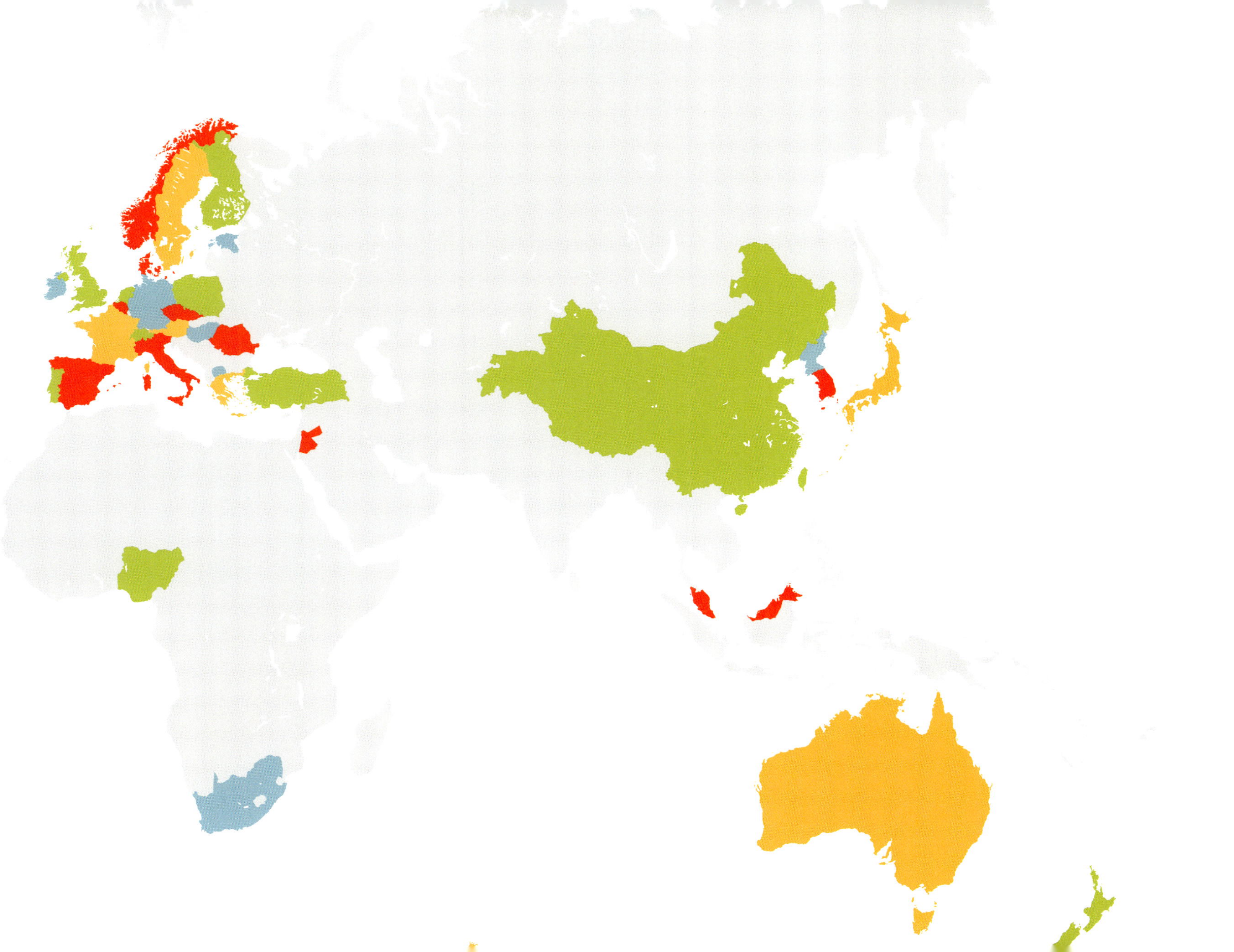

キャリア再構築の実例：

1

Canvas キャンバス

組織や個人のビジネスモデルを分析し
描くための鍵となるツール。
その使い方を学ぶ。

2

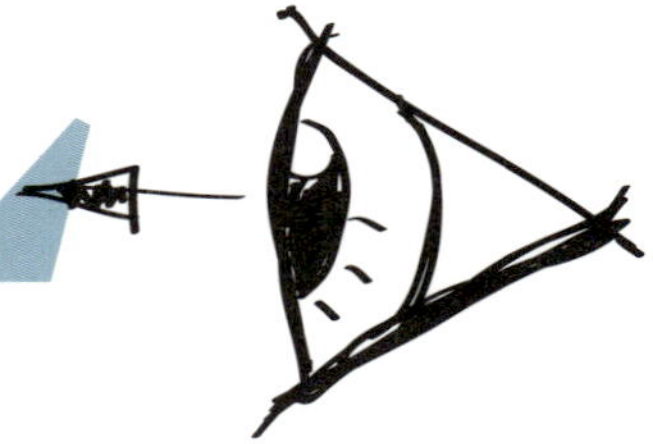

Reflect 熟考する

あなたの人生の方向性を見つめ直す。
個人としての望み、
そしてキャリア上の望みを、
どう両立するのか？

3

Revise 修正する

キャンバスと、ここまでの章で得た
気づきをもとにあなたの仕事生活
（ワークライフ）を調整しよう。
——あるいは、新しく構築し直そう。

4

Act 行動する

全てを実現させる
方法を学ぶ。

5

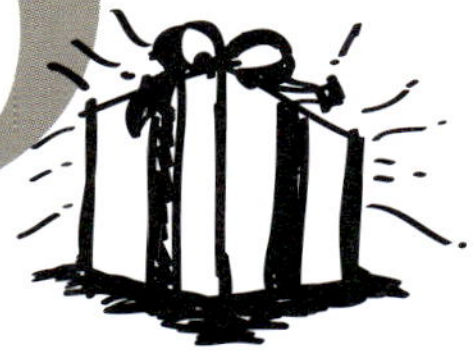

Extras 最後に

ビジネスモデルYOU誕生の
背景にある、
人々やリソースの話。

Canvas《キャンバス》

組織や個人のビジネスモデルを分析し
描くための鍵となるツール。その使い方を学ぶ。

CHAPTER 1

ビジネスモデル思考：
変化し続ける社会に適応する

なぜ
ビジネスモデル思考は
変化し続ける社会へ
適応するために
ベストな方法なのか。

大胆に推測させてください。
本書を手にとった訳は
キャリアアップについて
考えてみたからではないですか?

ある調査によれば、北米で働くサラリーマンの6人中5人が転職を考えているそうです(注2)。これは世界中どこでも似たような状況だと、本書の共同制作者《フォーラムメンバー》たち(43か国から参加)も言っています。
キャリアアップは、これほど大きな関心事でありながら、私たちの多くは、この複雑で、面倒な――しかしきちんと向き合うべきことについて、体系的に考える方法を持ち合わせていません。ですから私たちには、とてもシンプルで、強力なアプローチが必要です。しかもそれは、現代の就業環境や個人ニーズに調和する方法でなければなりません。

そこで、ビジネスモデルという考え方を取り入れてみましょう。ビジネスモデルはキャリアを描き、分析し、新たに作り直すための優れたフレームワークです。
誰もが一度は、このビジネスモデルという言葉を耳にしたことがあるはずです。ではビジネスモデルを、あなたなら、どのように説明しますか?
経済の基礎概念では、ビジネスモデルを**「組織が財政的に存続するための論理」**と定義しています(注3)。

ビジネスモデルとは、文字通りビジネスの仕組みを表現する概念です。しかし本書では少し異なるアプローチをとってみます。あなたを、1つの事業体として捉えてみるのです。すると、「あなた自身のビジネスモデル」が明確になり、軌道修正できるようになります。個人のビジネスモデル（パーソナル・ビジネスモデル）は、仕事上でもプライベートでも、あなたが長所と才能を生かすための原動力となるでしょう。

時代は変わり、ビジネスモデルも変わる

今日の労働市場は、不景気や全面的な人口変動、激化するグローバル競争、環境問題などの、個人がコントロールできない要因のせいで、不安定な状況に陥っています。

多くの組織も同様に、このような要因をコントロールできません。その結果、各組織のビジネスモデルは、深刻な影響を被っているのです。
各組織は、活動を行っている環境を変えられないのですから、競争力を保つためには、ビジネスモデルを変えるか、全く新しく創りだす必要があります。そうして生まれたビジネスモデル自体が、良い効果をもたらすこともあれば、そうでないこともあります。その結果、新たな機会を得る人もいれば、失業してしまう人もいるのです。

いくつかの事例を通して考えてみましょう。

かつて店舗型レンタルのブロックバスタービデオという会社が存在しました。ネットフリックス社やレッドボックス社が、郵送/ネット動画配信/自販機設置型レンタルなどの方法で、映画やゲームを届けるようになった結果、ブロックバスタービデオ社は経営破綻してしまいました。

このように新しいビジネスモデルが登場すると、異業種まで影響を及すことがあります。

例えば、ネットフリックス社には２０００万人の顧客がいますが、彼らはインターネットのおかげで、昼夜を問わずパソコンやゲーム機で、コマーシャルを飛ばしてテレビ番組を観られるようになりました。このことが放送業界にとってどんな意味を持つか、考えてみてください。放送業界はコマーシャルの収益で成り立っています。そこには数十年来の、２つの前提があります。
１．コマーシャルは一定の曜日に一定の時間、テレビ番組の途中に挿入され、莫大な数の視聴者へ届けられる、
２．テレビ視聴者はコマーシャルを飛ばしては観られない、というものです。
この前提が崩れてしまえば、放送業界のビジネスモデルは変わらざるを得ないのです。

インターネットの登場は、その他の産業のビジネスモデルも変えてしまいました。音楽業界、広告業界、卸売業界、出版業界などです（インターネットがなければ、この本の制作も不可能だったでしょう）。

例えば、エグゼクティブ専門の人材会社の業績は、従来、非常に経験を積んだフルタイムの正社員の能力によって決まっていました。彼らは有望な人材と会ってランチをするために、毎週数百件もの電話をかけ、国中を飛び回っていたのです。

しかし今日、この業界は劇的に変わりました。フルタイムの正社員は、在宅でネット情報を探し回っているパートタイマーに置き換えられることが多くなっています。

営利・非営利に関わらず、新しいビジネスモデルは、職場を変化させ続けています。生き残るために、組織は常にビジネスモデルを評価・改善・変更しなければならないのです。

個人も、変わらなくてはなりません

個人も組織もまったく同じだと言うつもりはありません。しかし、重要な点で似ています。それは組織もあなたも、まわりの環境や経済からの影響を避けられないという点です。

このような状況で、あなたが成功と充実感を享受し続けるには、どうすればいいのでしょうか？　まず必要なことは、自分が物事に取組む際、どのように行動しているかを明確にすること。そして次に、変化する環境についていくためのアプローチを調整していくことです。

本書から得られるスキル――ビジネスモデルを明確に描きながら考える方法論は、そのための機動力となります。**組織のビジネスモデルを理解し、描けるようになると、**不安定な経済状況にも関わらず、どうすればあなたが属する組織が成功できるのか、道筋を示せるようになります。

このように企業全体としての成功を考えられる社員（さらには、そのための具体的方法についても知っている社員）こそが、最も価値ある人材であり、さらに上の地位につく候補者でもあるのです。

まずは職場のビジネスモデルを理解し、そのモデルの中で、あなたがどんな位置を占めているのか、理解してください。するとその**優れた「ビジネスモデル思考力」を使って、あなた自身のキャリアを明確にし、強化、向上できるようになります。**CHAPTER 3からは、個人のビジネスモデルを明確にしていきます。ビジネスモデルYOUの戦略を使って、自分のキャリアアップに合わせ、パーソナル・ビジネスモデルを調整できるようにします。さらに、時代の変化に適応する能力も獲得しましょう。

『ビジネスモデルYOU』を読むことは、
あなたに際立った優位性をもたらすはずです。
なぜなら、日々の実務を明確にし、文書化できる人はいても、
組織のビジネスモデル自体を明確にし、
文書化できる人は少ないからです。また、
このビジネスモデル思考力を自らのキャリアアップに
応用できる人は、さらに少ないでしょう。

CHAPTER 2

ビジネスモデル・キャンバス

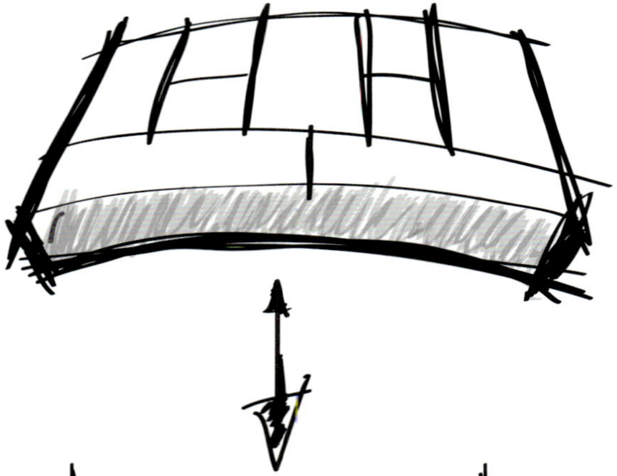

「ビジネスモデル」とは、組織が財政的に存続するための論理であると定義しました。簡単に言えば、組織が生計を立てるための仕組みです。

ビジネスモデルは、組織活動を表現する設計図だと考えることもできます。

建築家が建物を建てるガイドとして設計図を用意するように、
起業家も事業を興すガイドとしてビジネスモデルをデザインするのです。
同じように組織の管理職は、現行の事業活動を視覚化するために、
ビジネスモデルを描くこともできるでしょう。

現行の事業のビジネスモデルを理解するために、まず2つの質問をしてみましょう。

1. 顧客は誰なのか？
2. 顧客はどんなニーズ（jobs-to-be-done＊）を満たしてほしいか？

この問題をよく理解するために、3つの企業事例を見ていきましょう。

はじめの事例は、ジフィー・ルーブ®社です。予約なしで気軽にオイル交換ができるサービスを、アメリカで展開しています。車の持ち主で、自らエンジンオイルを交換したい人は余りいないでしょう。大抵の人は必要な知識や器材を持っていないですし、そもそも、こういった汚れ仕事をする手間を省きたいのです（しかも、使用済みオイルのリサイクルにも手がかかります）。
ジフィー・ルーブ社では整備のプロが、オイル交換を25ドルから30ドルで行っています。

＊クレイトン・クリステンセンが提唱する重要概念のひとつ「用事」（ジョブ）モデルのこと（『イノベーションへの解』（クリステンセン著、翔泳社）では「片付けるべき用事」と表現されている）。

次の事例は、ニング社です。ニング社の事業は、誰でもソーシャルネットワークを低価格で簡単に作成・管理できるようにしました。一般の組織や個人には、フェイスブックのような高機能のソーシャルネットワークを構築・運営するだけの資金も専門性もありません。ニング社はその代替品として、簡単で手の届く価格のソーシャルネットワークのテンプレートを提供。さらに、そのテンプレートを色々なレベルでカスタマイズ可能にしたのです。

最後の事例は、ベスタ社です。ベスタ社の事業は、毎日数十万人の顧客に対応している会社の、電子決済代行です。膨大な数の取引を扱うのは複雑な作業で、最新の堅固なセキュリティ体制と詐欺防止対策が要求されます。この２つを自社で開発し、維持コストを負担できる会社は、ほとんどありません。

では、これら３つのビジネスの共通点は、何でしょう？

3社とも「顧客」の「ニーズを満たすのに役立つ」ことで、収入を得ています。

- ジフィー・ルーブ社は、車の持ち主のために大切な整備を行っています（おかげで車庫や服が汚れないで済みます）。
- ニング社は、何らかの普及活動に取り組んでいる人のために、専門家を雇わずに低コストで、コミュニティ作りができるようにサポートしています。
- ベスタ社は、顧客が代金回収以外の、本来の職務に専念できるように、決済代行を行っています。

どれもシンプルな答えに思えますね？

しかしこの3つの事例とは異なり、教育、保健、行政、金融、技術、法律などの分野では「顧客」と「満たされるべきニーズ」を明確化するのが難しい場合があります。

このようなときに、ビジネスモデル思考を用いれば、「顧客」と「満たされるべきニーズ」を明確化し、説明するのが簡単になります。特に重要なのは、顧客ニーズが満たされる際に、あなたがどう役に立てるのか、理解できるようになることです。その結果、自分の仕事から、もっと多くの収入や満足感を得る方法を見出すでしょう。

全ての組織には、ビジネスモデルがある

ビジネスモデルが、組織が財政的に存続するための論理だとすれば、それは、すなわち営利企業だけに当てはまることなのでしょうか？

いいえ、違います。

全ての事業体に、ビジネスモデルがある

これが真実です。なぜなら、営利でも非営利でも、行政組織でも、ほとんど全ての事業体は業務を遂行するために、資金が必要だからです。

例えば、非営利団体のニューヨークロードランナーズ（ＮＹＲＲ）は、地域の人々の健康促進を目的としたマラソン大会、教室、クリニック、キャンプなどを主催しています。こうした活動を運営するには、非営利であっても、以下の資金が必要です。

- スタッフへの給料を支払う
- 各種許可を取るための費用、光熱費、事務所の維持費、法務処理にかかる費用などを支払う
- イベントで使用するものを購入する：タイム計測の装置、ゼッケン、飲料、景品のシャツやメダルなど
- 将来サービスを拡大するための基金を積み立てる

NYRRが目指しているのは、収益を得ることではありません。健康でありたいと願う地域の顧客に奉仕することです。それでも業務を遂行するには、非営利組織なりに、資金が必要です。

ですから、ＮＹＲＲも他の事業体と同様に、顧客ニーズを満たすのに役立つことによって収益を得ているのです。
ここでＮＹＲＲのビジネスモデルについて、先ほどの２つの質問をしてみましょう。

顧客は誰ですか？

ＮＹＲＲの主な顧客は、ランナーをはじめとした地域の人々で、彼らは健康維持・促進に取り組むにあたって支援や仲間を求めています。ＮＹＲＲへの参加方法は、２つあります。１つは会費を払って年間メンバーになり、そのサービスを受ける方法。もう

１つは年間メンバーにならずに、特定の大会やイベントに、その都度お金を払って参加する方法です。

顧客はどんなニーズを満たされたいのでしょうか？
ランナーのためのイベントをニューヨーク地域で開催することが、ＮＹＲＲの主な仕事です。

ＮＹＲＲは非営利組織ですが、そのサービスに対して、顧客はお金を支払っています。つまり有償サービスを提供している非営利組織です。

一方、無償サービスを提供している非営利組織は、どうでしょう？
そのような組織にも、ビジネスモデルという考え方は、当てはまるのでしょうか？

もちろん当てはまります！

いまオーファンウォッチという非営利組織があると仮定しましょう。オーファンウォッチは慈善団体で、親の無い子たちに家、食事、教育を提供しています。ＮＹＲＲと同じくオーファンウォッチも、業務を遂行するのに資金が必要です。

- 食料、服、本、ベビー用品を買う
- スタッフに給料を支払う
- 寮、学校設備を賃借し、光熱費、施設維持費、法務費を支払う
- 将来に向け、サービスを拡大するために基金を積み立てる、等々

もう一度ビジネスモデルについての質問を振り返ってみましょう。オーファンウォッチの場合は、若干答えが異なります。

顧客は誰ですか？
オーファンウォッチには、２種類の顧客がいます。
1. 子ども達――彼らが実際のサービスの恩恵を受けている
2. 寄贈者やサポーター――彼らがお金を寄付したり、子ども達が作ったものを購入したりするおかげで、オーファンウォッチは活動できる

顧客はどんなニーズを満たされたいのでしょうか？
オーファンウォッチには、２つの仕事があります。
1. 親のない子ども達の世話をする
2. 大規模な慈善団体や個人の寄贈者が、社会的になすべき仕事をする機会や、博愛精神を満たせる機会を提供する。それと交換に顧客は、寄付や助成金を提供し、援助を申し込み、製作物を購入する

ここに大事なポイントがあります――組織が顧客にサービスを無償提供している場合には、それを助成している他の顧客グループがあるということです。

ビジネスモデルの２つの質問が、どんな営利組織にも当てはまるように、無償サービスを提供する非営利組織であるオーファンウォッチにも、当てはまることがお分かりになったでしょう。

厳しい現実

寄付や助成金を受けられなくなったら、オーファンウォッチはどうなるでしょうか？

使命を遂行することができなくなります。たとえ無給で働くことにスタッフが同意したとしても、他の必要経費を賄うことができません。組織を解散するしか、選択肢はないのです。

現在の経済で活動している、ほぼ全ての事業体（政府でさえ！）は、厳しい現実に直面しています。つまりお金がなくなった時が、ゲームオーバー。

事業体が異なれば、目的も異なります。しかし生き残り、成長を続けるために、生計を立てなければならないのは、どこも同じ。存続するためのビジネスモデルが必要なのです。

「存続する」という定義は、とてもシンプルです。出ていくお金よりも、入ってくるお金を多くすること。あるいは最低でも、出ていくのと同じくらい稼ぐことです。

ここまで顧客と収入がどのように事業体を支えているのか
という、ビジネスモデルの基本を学びました。
しかし、ビジネスモデルには顧客と収入以外の要素も含まれています。
ビジネスモデル・キャンバスは、
組織活動を9つの要素に分類し、それぞれが
どの様に関わり合っているかを描き出す、
とても強力なテクニックなのです。

なぜ絵を描くのか?

組織がどのように動いているかを理解するのは、
簡単なことではありません。
規模の大きい複雑な組織にはあまりにもたくさんの構成要素があるので、視覚化することなく、その組織の全体像をつかむことはとても困難です。

ビジネスモデル・キャンバスは、
複雑な組織活動を視覚化し、
簡潔に表現するためのツールです。

絵を描くことによって、言葉にされてこなかった前提や思い込みなども表現できるようになります。情報が明白になることで、より効果的な思考やコミュニケーションが可能になります。

ビジネスモデル・キャンバスで使う9つのブロック

どのように組織は顧客へ価値を与えるか?

顧　客*

*Customers**

組織が作り出す
価値を届ける相手:
ひと、他の組織

与える価値*

*Value Provided**

顧客の抱える問題を解決し、
ニーズを満たすもの

チャネル

Channels

顧客の求める価値を
提供していることを
告知する方法、
その価値を届ける
様々なルート

顧客との関係

Customer Relationships

顧客との関係性を
構築、維持、展開
するための
様々な仕組み

収入*

*Revenue**

顧客に、
与える価値が
届けられる際、
支払われるお金

キーリソース

Key Resources

これまでにあげた要素を
提供するのに
必要となる資源（リソース）

キーアクティビティ*

*Key Activities**

ビジネスモデルが
機能するよう
組織が取組まなければ
ならない活動

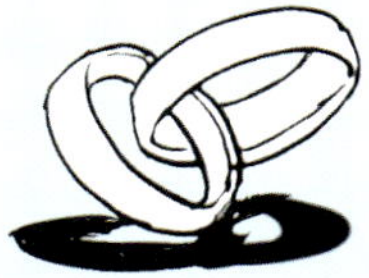

キーパートナー

Key Partners

外部に委託
（アウトソース）される
活動や、外部から
調達されるリソース

コスト*

*Costs**

キーリソースを調達し、
キーアクティビティを
行ない、
キーパートナーと働く
ために支払うコスト

*『ビジネスモデルジェネレーション』では顧客セグメント（Customer Segments）、価値提案（Value Propositions）、収益の流れ（Revenue Streams）、主要活動（Key Activities）、コスト構造（Cost Structure）という表現をしています。

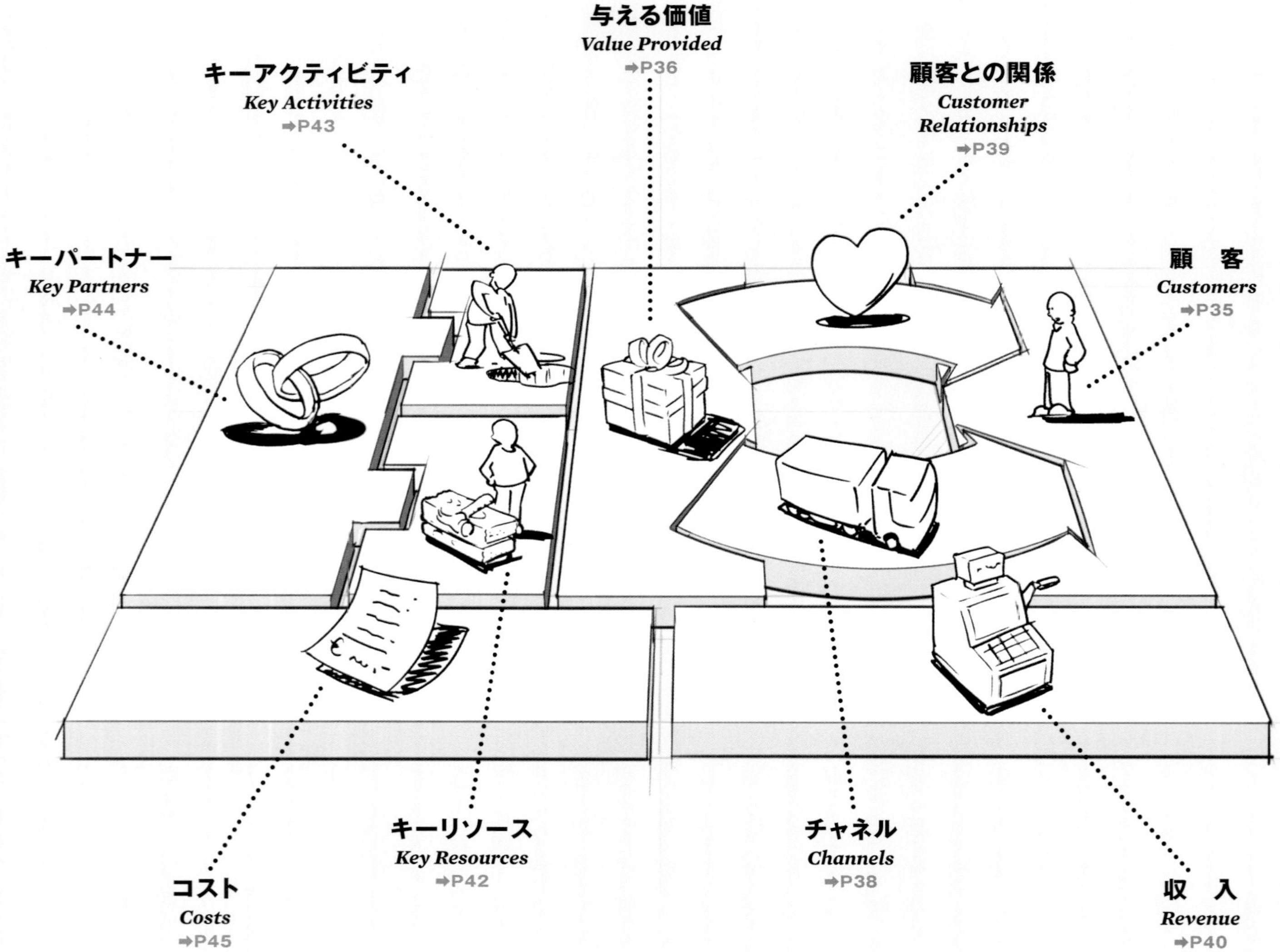
与える価値
Value Provided
➡P36
キーアクティビティ
Key Activities
➡P43
顧客との関係
Customer Relationships
➡P39
キーパートナー
Key Partners
➡P44
顧　客
Customers
➡P35
キーリソース
Key Resources
➡P42
チャネル
Channels
➡P38
コスト
Costs
➡P45
収　入
Revenue
➡P40

顧 客

顧客とは、組織が作り出す価値を届ける相手であり、顧客のために組織は存在しています。支払いをしてくれる顧客がいなければ、組織は生き延びることができません。

どんな組織も１つ以上の顧客グループに、何らかの価値を与えるため働いています。顧客が組織の場合、企業間取引（B to B）といい、顧客が一般消費者の場合、企業・消費者間取引（B to C）といいます。

組織によっては、無料で価値を受取る顧客と、有料で価値を受取る顧客が同時に存在する場合もあります。例えば、フェイスブックに登録しているユーザーのほとんどは、無料でサービスを利用しています。しかし、この数億人もの無料ユーザーがいなければ、フェイスブックは広告主やマーケットリサーチ会社に売るものがなくなってしまいます。だからこそ、無料で価値を受取る顧客もビジネスモデルの成功に欠かせない要素となり得るのです。

顧客について覚えておくべきこと

- 異なったグループの顧客は異なった価値、チャネル、関係を求めている
- 有料で価値を受取る顧客もいれば、無料で受取る顧客もいる
- 顧客グループによって支払う金額がまったく異なる場合がある

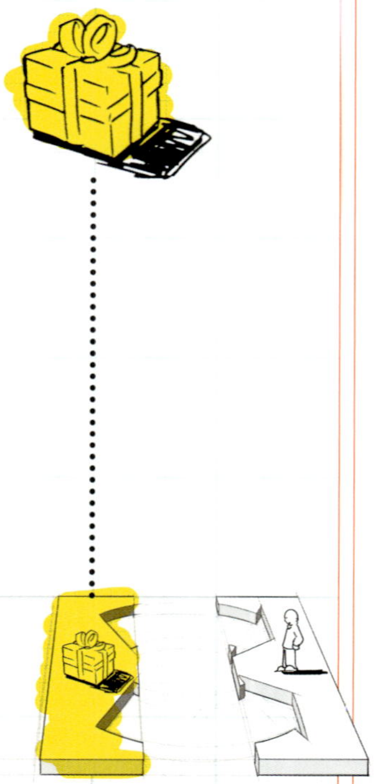

与える価値

「与える価値」とは、サービスや商品が総合的に顧客に与えるベネフィットのことです。顧客が、他ではなくあなたの組織を選ぶ理由は、特別な価値を与えられるかどうかにかかっています。

組織が「与える価値」には、例えば、次のような要素があります。

利便性

時間を節約したり面倒を減らしたりするのは、顧客にとって重要な利益になります。映画やゲームソフトのレンタルを行っている米国のレッドボックス社は、スーパーマーケットなどの集客の良い場所にレンタル用自動販売機を設置しています。レッドボックス社は顧客が最も借りやすく返しやすい方法で、レンタルサービスを行っているのです。

価格

顧客はしばしば、お金を節約するためにサービスを選択します。例えばスカイプは、どの電話会社よりも安く国際電話をつないでくれます。

デザイン

多くの顧客は、素晴らしいデザインの商品やサービスには、喜んでお金を支払います。他社より値段は高いですが、アップル社のiPodは、単体のデバイスとしても、オーディオ統合サービスの一部としても、とても美しくデザインされています。

ブランドとステータス

顧客に、洗練された、一味違う高級感を与えることで、価値を提供している企業もあります。例えば、ルイ・ヴィトンの贅沢な革製品やファッションには、世界中の顧客が喜んでプレミア価格を支払います。それはルイ・ヴィトンが洗練、富、高品質を象徴するブランドを確立してきたからです。

コスト削減

他の事業体のコスト削減を担うことによって、その事業体の収益向上に貢献することもあります。多くの組織が、自社で通信のインフラを整え、サーバーを購入し、メンテナンスする代わりに、外部が管理しているリモートサーバー（クラウドサーバー）を、インターネットを経由で使うことによりコストを削減しています。

リスク低減

ビジネス分野の顧客はリスク低減、とりわけ投資リスク低減に熱心です。ガートナー社をはじめとする企業は、オフィステクノロジーに追加投資した際の、収益予測調査やコンサルティングサービスを提供しています。

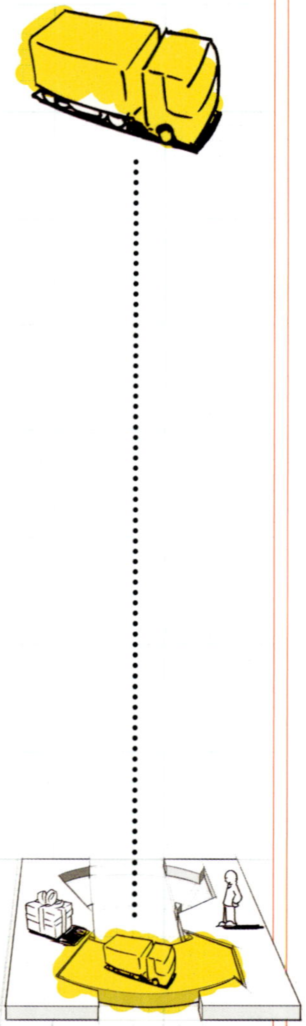

チャネル

チャネルには、5つの機能があります。

1. 商品とサービスの認知度を上げる
2. 見込み客に対して商品やサービスの評価を促す
3. 顧客が購入できるようにする
4. 顧客に価値を届ける
5. 購入後の満足度を高めるサービスを届ける

典型的なチャネルの例は…

- 対面、又は電話
- 客先訪問、又は店頭
- 配送
- インターネット（ソーシャルネットワーク、ブログ、電子メールなど）
- 従来のメディア（テレビ、ラジオ、新聞など）

顧客との関係

組織は、顧客がどのような関係を好んでいるのかを明確にしなければなりません。対面での親身なサービスでしょうか？　より自動化されたサービス、あるいは全くのセルフサービスですか？　一度きりの取引、それとも継続性のある取引ですか？

さらに組織は、顧客との関係において、最も優先される目的は何か明確にしなければなりません。新規顧客の獲得でしょうか、それとも既存顧客の維持でしょうか、あるいは既存顧客への販売拡大でしょうか？

目的は、時間が経つにつれ、変わっていきます。初期のモバイル産業では、携帯電話会社は新規顧客を獲得することに注力していたので、無料で携帯を配るなど押しの強い戦略を取っていました。市場が成熟してくると、各社は既存顧客の維持と、顧客１人当たりの売上増加にフォーカスを移したのです。
なお顧客との関係には、まったく別次元の関係も考えられます。アマゾン・ドットコム社、ユーチューブ社、ビジネスモデルＹＯＵ社のように、顧客参加型で商品・サービスを開発・提供する会社も多く存在します。

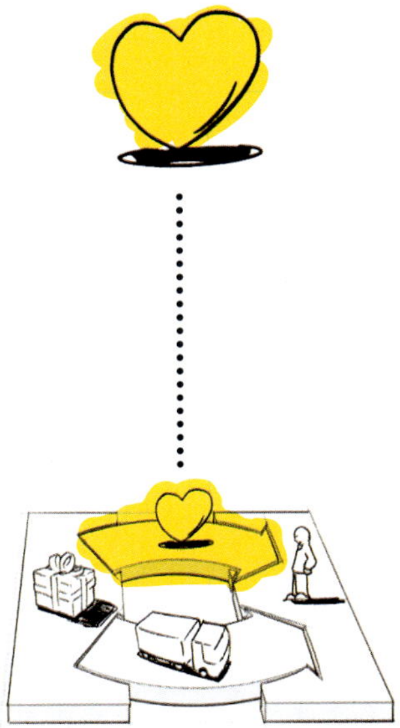

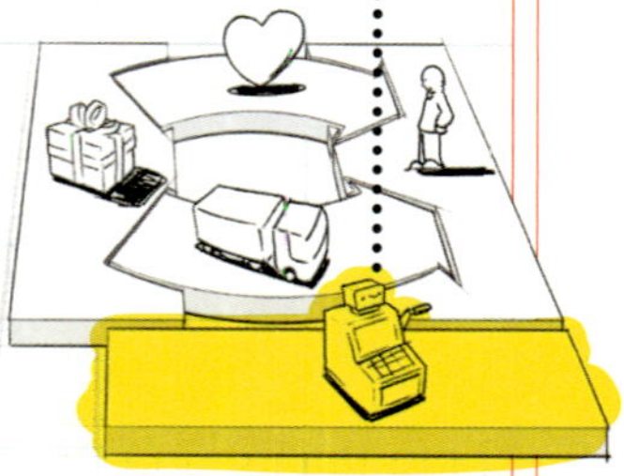

収 入

組織は、
1. どんな価値に対して、顧客が本当に喜んでお金を払うのか理解し、
2. 顧客が望む支払い方法を受け入れなくてはなりません。

組織が受け取る収入には、大きく分けて２つのカテゴリーがあります。
1. 一度きりの支払い
2. 商品、サービス、購入後のメンテナンスやサポートに対する継続的な支払い
具体的な収入のタイプを、以下にまとめます。

売り切り

これは顧客が、形のある商品の所有権を買いとることです。
例えば、トヨタ自動車が顧客に車を売ったら、買った顧客は、運転しようが転売しようが、解体しようが破壊しようが、全くの自由です。

リースと賃貸

リースとは、一定期間、物を優先的に使う一時的な権利を売買することです。例えば、ホテルの部屋やアパート、レンタカーなどはリースの対象といえます。借りる人は、所有権を買いとるより安く、該当のものを利用できます。一方で所有者はリースすることで、収入を得られます。

サービス料と利用料

電話会社は、顧客の通話に分単位で課金します。運送会社は、荷物ごとに料金を請求します。医者、弁護士、その他のサービス業では、時間単位やサービスごとに料金を請求します。グーグル社のように広告収入によって成り立つ会社は、クリック件数や表示回数によって課金します。警備会社は、待機している時間と非常時の出動に対しての料金を請求します。

登録料

雑誌購読、会費制ジムやオンラインゲームの利用など、サービスへの継続的なアクセスに対し、登録料を課す形態のビジネスもあります。

ライセンス料

知的財産権の所有者は、法で守られている知的財産の使用許可を顧客に与えることで、ライセンス料という収入を得られます。

仲介料

センチュリー２１社などの不動産会社は売り手と買い手を結びつけ、仲介料を得ています。モンスタードットコム社などの求人情報サービスでは、雇用主と求職者を結びつけて仲介料を得ています。

キーリソース

キーリソースには４つのタイプがあります。

ヒト

どの組織にも「人」が必要です。人的資源に大きく頼っているビジネスモデルもあります。優れた総合病院との評判の高いメイヨー・クリニックは、専門分野の世界的権威である医師や研究者を求めています。同じように、ロシュのような世界的な製薬会社は、一流の研究者と有能な営業マン多数を必要としています。

モノ

土地、建物、機械、乗り物は、多くのビジネスモデルにおいて不可欠な構成要素です。たとえばアマゾン・ドットコム社は、大量の商品を保管する広大な倉庫、大容量のコンベアなど、高額な費用のかかる特殊設備を必要としています。

知的財産

知的財産には、ブランド、企業が独自開発したメソッドやシステム、ソフトウェア、特許、版権をはじめとした、無形の資産が含まれます。ジフィー・ルーブ社の強みは、優れた顧客サービスだけでなく、強力なブランド力といった無形資産であり、それを活かしてフランチャイズビジネスを行っています。通信機器のチップ設計を行うクアルコム社は、デザイン特許を中心としたライセンス料でビジネスモデルを築いています。

財務

財務上のリソースには、現金や借入枠、金融保証などがあります。通信機器メーカーのエリクソン社は、顧客に設備を購入する際に受ける融資の一部を、自社の銀行からの借入れで保証しています。こうしてエリクソン社は、他社に注文を奪われるのを防いでいるのです。

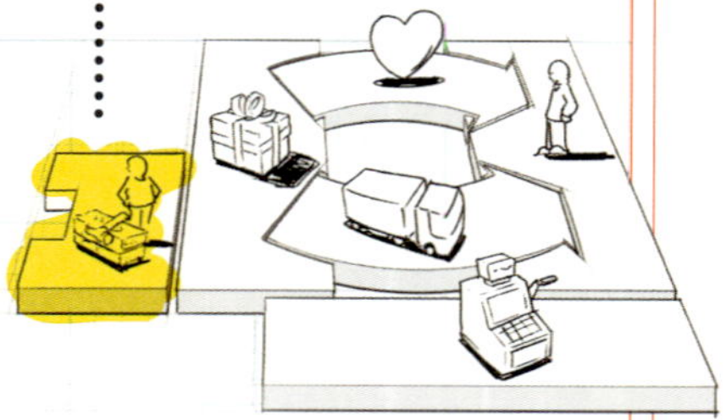

キーアクティビティ

キーアクティビティとは、ビジネスモデルが機能するように、
組織が取り組まねばならない、最も重要な活動です。

「作ること」には、商品の製造、サービスのデザイン/開発/提供、そして課題解決などが含まれます。サービス企業にとって「作ること」とは、サービスを届ける準備をすることと、そしてサービスを実際に届けることの双方を含みます。なぜならサービスは——たとえば、散髪のように——届けられたと同時に消費されるものだからです。

「売ること」とは、潜在顧客に商品価値を知らせるための、広告・宣伝や教育活動などです。実際の作業としては、電話セールス、広告宣伝の計画・実施、教育活動、トレーニングの実施などがあります。

「サポート」は、「作ること」や「売ること」と直接関係はありませんが、組織をよりスムーズに動かすために必要です。人材採用、経理処理をはじめとした管理業務が当てはまります。

わたしたちは仕事を作業内容、すなわちキーアクティビティの観点から考えがちですが、重要なのは、アクティビティからもたらされる「価値」です。顧客が組織を選ぶときは、業務そのものよりも、顧客が受けとることになる「価値」で選ぶのです。

キーパートナー

キーパートナーとのネットワークが、ビジネスモデルを効果的に機能させます。

１つの組織ですべてのリソースを持ち、すべての活動を行うのには無理があります。活動によっては高額な設備や、特殊な専門性が求められるでしょう。それゆえ多くの組織は、給与計算のような業務を、ペイチェックス社などその業務に特化した企業に業務委託（アウトソース）しています。

パートナーとの関係は、「作ること」「買うこと」だけではありません。たとえば結婚式の貸衣装業者、生花店、写真家が、顧客リストを「共有すること」があります。すると３社とも宣伝コストをかけずに済みますので、お互いにメリットが生じることになります。

コスト

キーリソースを手に入れ、キーアクティビティを行い、
キーパートナーに支払う、その全てにコストがかかります。

資金は、顧客に与える価値を生み出し、顧客との関係を維持し、売上をあげるために必要なものです。組織運営のためにいくら費用がかかるかは、キーリソース、キーアクティビティ、キーパートナーが決まれば、大まかに見積ることができます。

事業のコスト構造を考える上でも、ビジネスモデル全体の有用性を考えるうえでも、とても重要なコンセプトに、「拡張性」があります。拡張性がある状況とは、需要が増えた際でも、事業は効率的に対応できるということ——つまり増えた顧客に対して無理をお願いしたり、品質を落としたりすることなく、対応できるということです。財務的観点からいうと、「拡張性」がある場合には、顧客が１人増えるたびに発生するコストが、それまでと同程度だったり上がったりすることなく、逆に下がっていきます。

拡張性のあるビジネスの良い例は、ソフトウェア会社です。ひとたびソフトウェアを作ってしまえば、その後は、低コストでの再生産・流通が可能になります。新規ダウンロードを行う顧客が増えても、それにかかるコストは実質的にゼロです。

反対に、コンサルティングビジネスやその他の人的労働の提供が中心となるビジネスには、ほとんど拡張性がありません。顧客が１人増えれば、その分、顧客に接する時間もコストも増えます。ですから財務面からいえば、拡張性のあるビジネスは、拡張性がないビジネスよりも魅力的なのです。

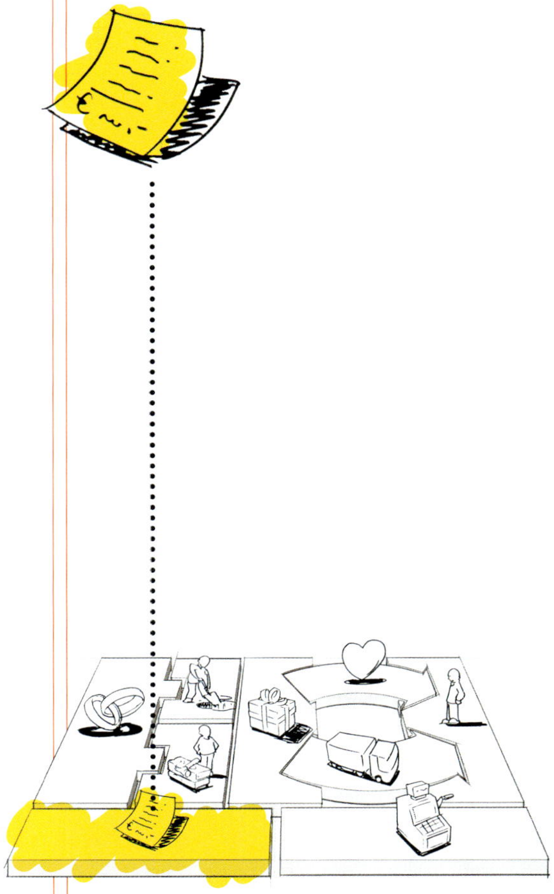

Drawings by JAM

9つのブロックは、まとまって1つの役立つ

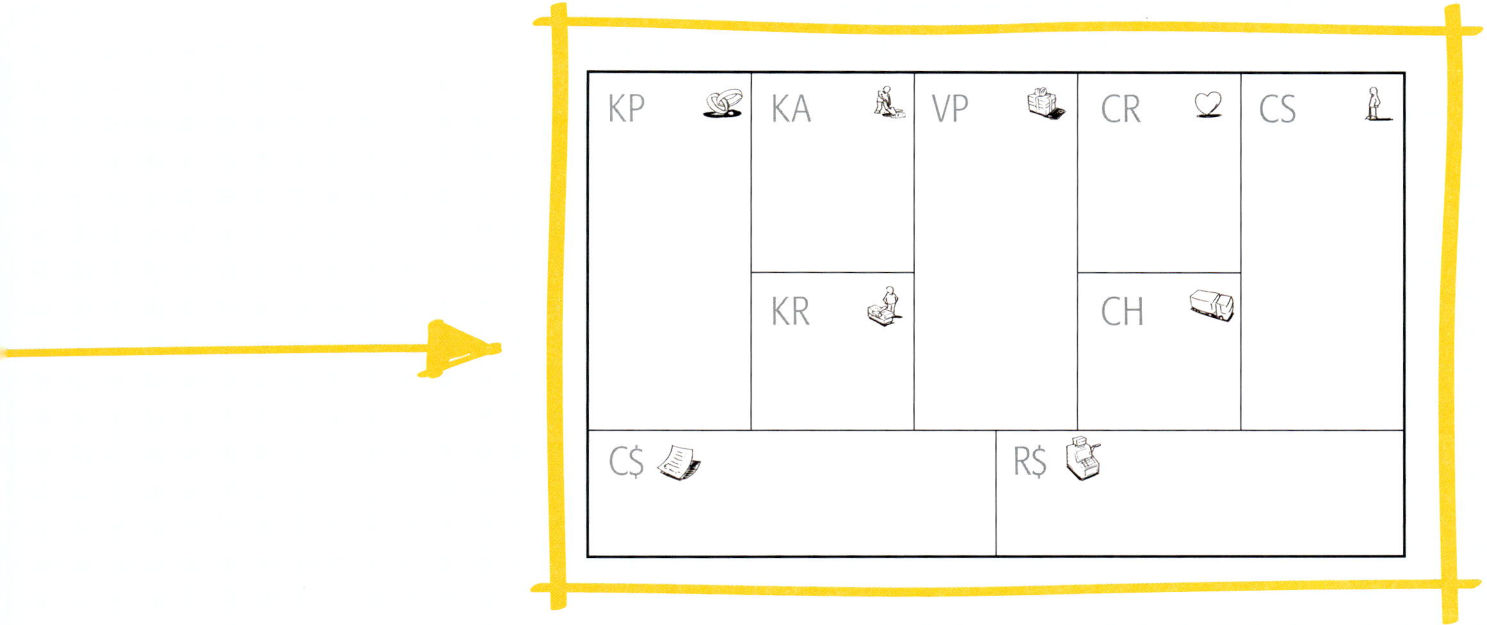

ツールになります。それがビジネスモデル・キャンバスです。

さあ、あなたの番です

「キャンバス」を
印刷するか、
または描いて
みて下さい。

付箋紙を
キャンバスに
貼って下さい。

あなたの組織を、
ブロック上の
付箋紙で、分析して
描いてみましょう。

組織のビジネスモデル

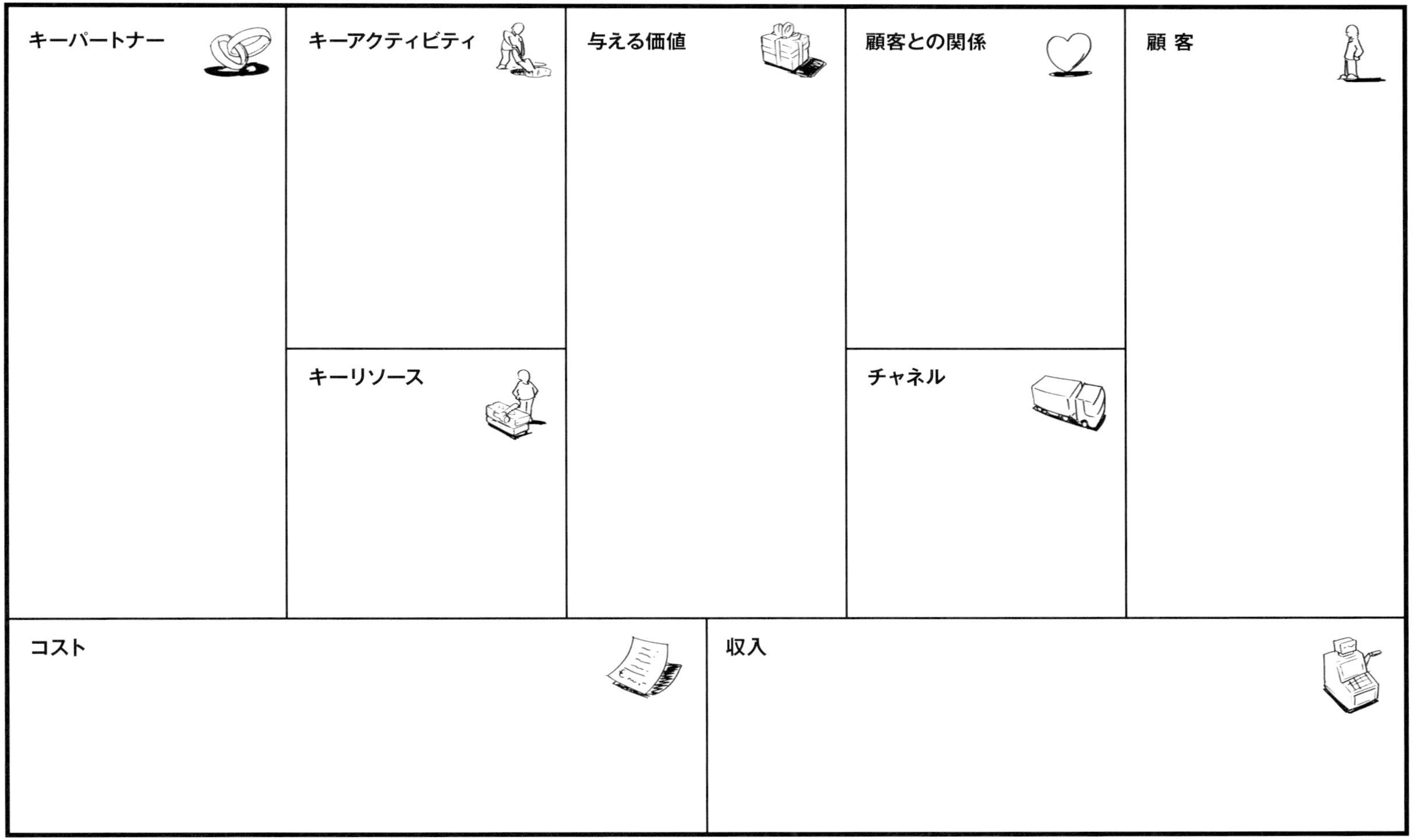

PDF版のビジネスモデル・キャンバスのダウンロードはこちらから。**BusinessModelGeneration.com/canvas.**

＊『ビジネスモデルジェネレーション』では顧客セグメント、価値提案、収益の流れ、主要活動、コスト構造という表現をしています。

クレイグズリスト社のビジネスモデル

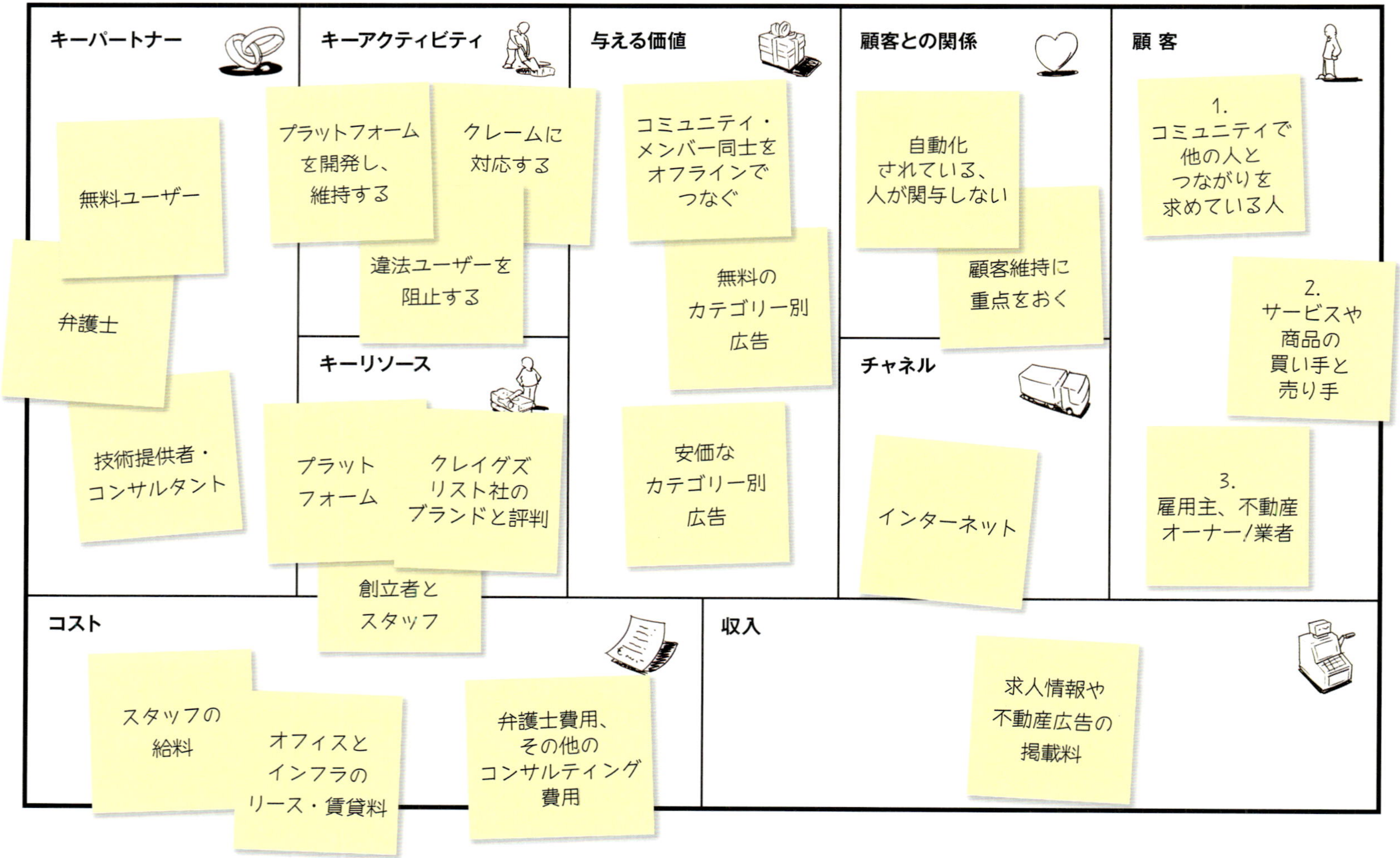
キーパートナー
無料ユーザー
弁護士
技術提供者・コンサルタント
キーアクティビティ
プラットフォームを開発し、維持する
クレームに対応する
違法ユーザーを阻止する
キーリソース
プラットフォーム
クレイグズリスト社のブランドと評判
創立者とスタッフ
与える価値
コミュニティ・メンバー同士をオフラインでつなぐ
無料のカテゴリー別広告
安価なカテゴリー別広告
顧客との関係
自動化されている、人が関与しない
顧客維持に重点をおく
チャネル
インターネット
顧 客
1. コミュニティで他の人とつながりを求めている人
2. サービスや商品の買い手と売り手
3. 雇用主、不動産オーナー/業者
コスト
スタッフの給料
オフィスとインフラのリース・賃貸料
弁護士費用、その他のコンサルティング費用
収入
求人情報や不動産広告の掲載料

クレイグズリスト社は、地域情報をカテゴリー別に掲載する巨大掲示板サービスを提供しています。求人や不動産、コミュニティの集会、サービスや商品の売買／交換などの情報が掲載されています。中でも求人広告は70カ国、700のサイトで運営され、毎月百万を超える求人情報が投稿されています。およそ企業らしくない社風にも関わらず、クレイグズリスト社は従業員１人当たりの利益率が世界で最も高い会社のひとつです。たった30人のスタッフで１億ドルを超える売上をあげていると、アナリストは推測しています(注4)。

顧客

顧客の多くは無料でサービスを利用していますが、求人広告を掲載する企業や不動産管理者がサービスを利用する際には、掲載料がかかります。この掲載料によって、無料ユーザーのコストが賄われているのです。

与える価値

クレイグズリスト社は、通常のオンラインサービス会社とは異なる価値を顧客に与えています。それは、コミュニティ・メンバーがオフラインでつながるためのサポートをしていることです。それからもう１つ、顧客が掲載を希望する、あらゆる種類のサービスや商品を、分野別に無料掲載していることです。このような価値を与えることで、熱心な顧客が多く集まり、盤石な顧客基盤が築かれます。その結果、不動産情報や求人広告を安価で効果的に掲載できるという、第３の価値が生まれるのです。

チャネル

クレイグズリストは、サービスを宣伝・提供するために、インターネットを使っています。

顧客との関係

ユーザーが広告の作成/編集/掲載をするには、クレイグズリストによるサポートがなくても、自動登録フォームから行えます。信頼を基本として運営されているため、ユーザーはスタッフのチェックなしに掲示板への書き込みが可能で、他のユーザーが不正行為を行った際には通報もできます。クレイグズリストは新規顧客を獲得することよりも、既存顧客が経験できる価値（ユーザー・エクスペリエンス）を高めることに注力しています。

収入

クレイグズリストの収益源は、顧客ブロックの「３.雇用主、不動産オーナー /業者」からの広告収入です。

キーリソース

１番のキーリソースは､「プラットフォーム」です。プラットフォームとは自動化されたメカニズムもしくは「エンジン」のことで、顧客同士の交流を可能にします。第２のキーリソースはクレイグズリストの創始者、クレイグ・ニューマークの評判と彼の信ずる公共奉仕の哲学です。サイトを運営しているマネージャーやスタッフも同様にキーリソースです。

キーアクティビティ

一番重要な活動は、プラットフォームの開発・メンテナンスです。例えばグーグルは、１００人のエンジニアを突然失っても平気かもしれませんが、ウェブサイトが丸一日稼働しないとしたら致命的な痛手となります。クレイグズリストも､同じ状況なので、スタッフは、プラットフォームの開発とメンテナンスに注力。さらには、日々ハッカーやスパムなどの違法行為に対する措置を講じています。

キーパートナー

最も重要なパートナーは、無料ユーザーです。クレイグズリストが誠実で節度のある文化を保っていられるのは、彼らのおかげです。

コスト

クレイグズリストは株式を公開していないので、収益を開示する義務はありません。しかし、スタッフ３０人の会社ですから、フェイスブックやツイッター、イーベイなど規模の大きい会社と比べて、かかる費用は少ないでしょう。主な費用には、給与やサーバー管理費､通信インフラやオフィスのリース･賃貸料があります。クレイグズリストは業界内でも目立った存在で、多くの関連プロジェクトに取り組んでいます。それから推測できることは、弁護士費用をはじめとした多額のコンサルティング費用が発生しやすいのではないかということです。実際に、こうした専門家への支払報酬は、他でかかるコストの総額をはるかに超えていると考えられています。

CHAPTER 3

パーソナル・キャンバス

さて、ここからは最も重要なビジネスモデルにフォーカスしていくことにしましょう。それはあなた自身のビジネスモデル:ビジネスモデルYOUです。

キャンバスは、組織のビジネスモデルを描き出すことができたように、
個人についてもビジネスモデルを描きだすことができます。
個人のビジネスモデル（パーソナル·ビジネスモデル）と組織のビジネスモデルでは、以下の２点が異なります。

- パーソナル·ビジネスモデルを描くとき、キーリソースはあなた自身になります。
  あなた自身の興味、スキル、能力、個性、財産などが当てはまります。
  これに対して組織の場合は、もっと幅広いリソースを指し、人材などもキーリソースに入っていました。

- パーソナル·ビジネスモデルでは、ストレス、満足度などの、数値化できないコストや報酬も考慮していきますが、
  組織の場合は、基本的には金銭上のコストや利益のみを考えます。

パーソナル·ビジネスモデルを描くときは、右のページの各ブロックの説明を参考にするとよいでしょう。

個人のビジネスモデル・キャンバス（パーソナル・キャンバス）

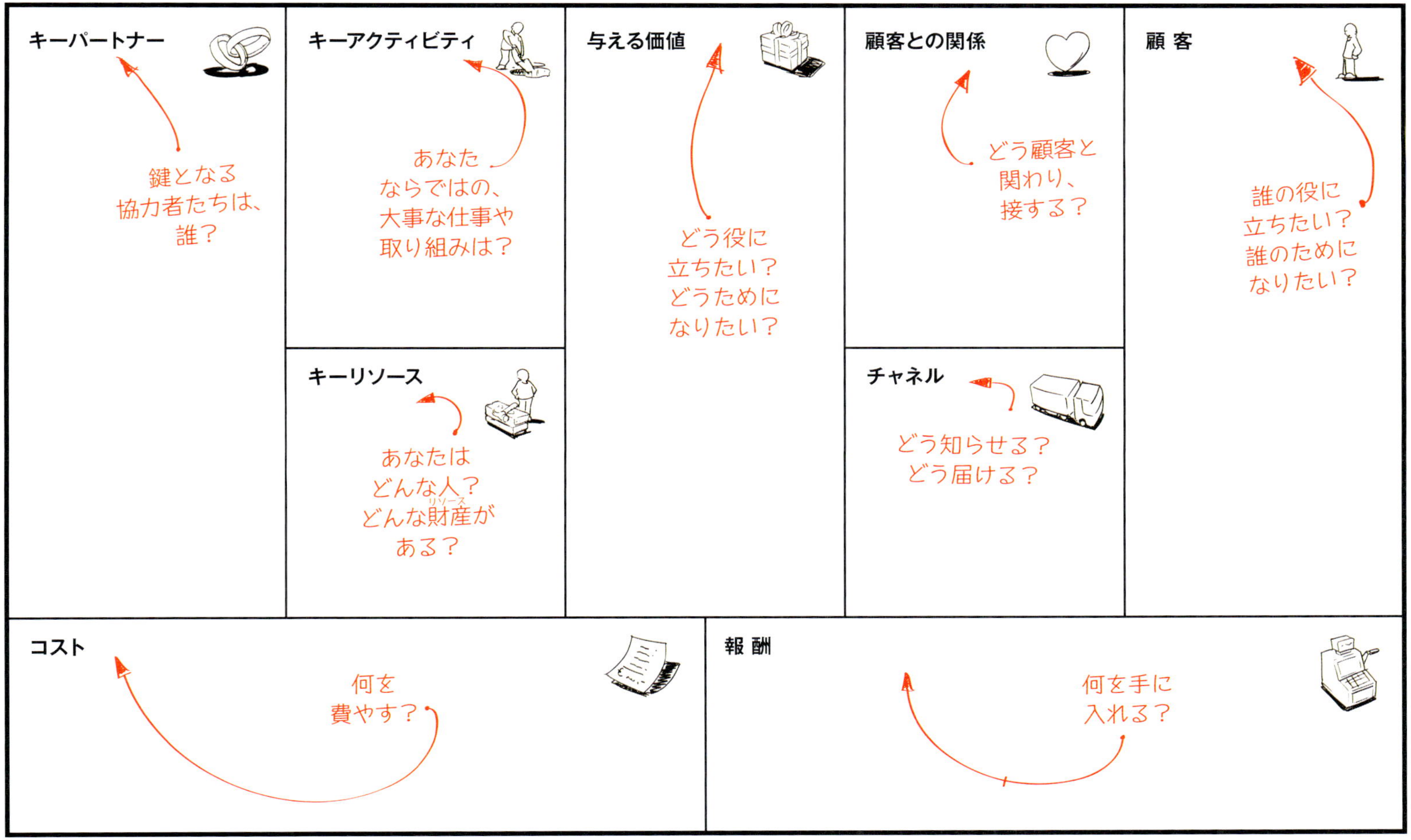
キーパートナー
鍵となる協力者たちは、誰？
キーアクティビティ
あなたならではの、大事な仕事や取り組みは？
キーリソース
あなたはどんな人？どんな財産《リソース》がある？
与える価値
どう役に立ちたい？どうためになりたい？
顧客との関係
どう顧客と関わり、接する？
チャネル
どう知らせる？どう届ける？
顧客
誰の役に立ちたい？誰のためになりたい？
コスト
何を費やす？
報酬
何を手に入れる？

上のキャンバスのPDFファイルは**BusinessModelYou.com**でダウンロードできます。

日本語ページ:http://businessmodelyou.com/Japan/

あなたにとって初めての
パーソナル・ビジネスモデルです:
さっそく描いていきましょう!

紙、ペン、そして付箋紙を手にとってください。
この章から、あなた自身のビジネスモデルを形づくる作業が始まります。
まず覚えておいてほしいことは、最初のビジネスモデルを描くときは、
あなたが今、生計を立てている仕事に範囲を絞るということです。

なぜなら、今の仕事で行っている活動を明確かつ正確に描写することは、
後ほど、あなたのキャリアのソフト面（満足度やストレス、社会的承認、時間の制約、社会貢献性など）を
考えるための、いい準備になるからです。

パーソナル・キャンバスの
各ブロックで、
あなたを手助けしてくれる
自己改革者たち

各ブロックで説明される、1人ひとりの物語

鍵となる協力者たちは、誰？
（キーパートナー）
あなたならではの、大事な仕事や取り組みは？
（キーアクティビティ）
あなたはどんな人？どんな財産《リソース》がある？
（キーリソース）
どう役に立ちたい？どうためになりたい？
（与える価値）
どう顧客と関わり、接する？
（顧客との関係）
どう知らせる？どう届ける？
（チャネル）
誰の役に立ちたい？誰のためになりたい？
（顧客）
何を費やす？
（コスト）
何を手に入れる？
（報酬）

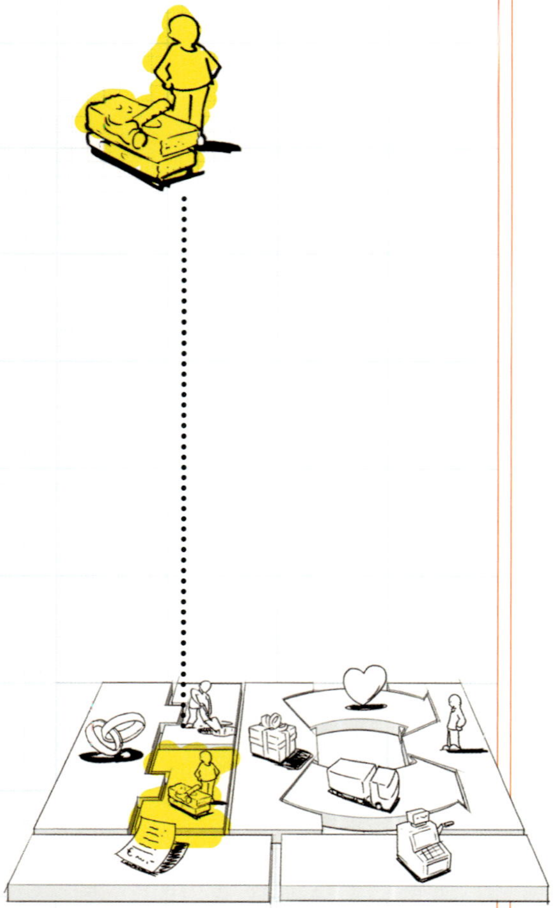

キーリソース
（あなたはどんな人？　どんな財産《リソース》がある？）

企業のような組織は、人、資金、設備、不動産、知的財産などの物質的·知的リソースを、大きなスケールで集めることが可能です。一方、個人には限界があります。個人のリソースは、私たち自身が持てる範囲に限られてしまうのです。個人のリソースには、「あなたはどんな人？」ということも含まれます。具体的に挙げると、あなたの①関心、②能力・スキル、③個性、その他あなたが持っているもの――知識、経験、個人的·専門的人脈、その他有形·無形のリソースや資産です。

あなたの関心――心からワクワクすること――は最も大切なリソースになるでしょう。なぜならこの関心こそが、仕事に対する満足度を決めるからです。**自分が特に関心を持っていることを、キーリソースのブロックに書き出しましょう。**

次に能力とスキルを考えます。能力とは、その人の生まれ持っている才能を指します。努力しなくても簡単にできてしまうことを考えてみましょう。たとえば空間把握能力、グループをまとめる力、機械操作が得意なことなど、**具体的なリスト**にしてみましょう。一方スキルは、学ぶことによって得た才能を指します。訓練や学習によってあなたにもたらされた才能のことです。看護、財務分析、建築、コンピュータプログラミングといったスキルを**具体的なリスト**にしてみましょう。

個性とは、あなた自身（すくなくとも現時点での）を形作っているものです。**あなた自身を描写してみましょう。**例えば、感情が豊か、勤勉、社交的、物静か、落ち着いている、思慮深い、エネルギッシュ、几帳面などが考えられます。

もちろん、あなたがどんな人かということには、関心、能力とスキル、個性以上のものが含まれています。例えば価値観、知性、ユーモアのセンス、受けた教育、目的意識など、たくさんの要素がありますが、今は、自分にどんな財産（リソース）があるかを考えていきましょう。財産（リソース）には有形のみならず無形資産も含まれます。例えばあなたが仕事上で広い人脈を持っているとしたら、広い人脈と**書き留めます。**同じように、ある業界で積んだ経験、仕事上の評価、ある分野でのリーダーシップ、あなたの名前が掲載された出版物やその他の知的財産などがあれば、それも書き出していきましょう。

最後に有形の資産を**書き出します。**資産とは、あなた個人が所有し、仕事に要するもの又は仕事に使用可能なものです。車、道具、特殊な装具、キャリアに投資可能なお金その他の有形資産です。

ケース:
キーリソース

メモ:
重要なリソースは、あなた自身

プロフィール
医　師

名前
アナベル・スリンガーランド

59

小児糖尿病の治療と研究が、アナベル・スリンガーランド医師の専門です。彼女の信念は、あれもダメ、これも危険といつも言われ続けている子どもの患者達を元気づけること。その信念を実行するため、彼女はボランティアを募り、糖尿病の子ども達のためにリレーマラソン大会「キッズ・チェーン」を開催しました。

悲劇が起こったのは、大会の直前でした。アナベルはひどい自転車事故に遭ってしまったのです。大会自体は無事に開催され――企業や行政、メディアから予想以上に多くの注目を集め、成功。しかし、アナベルは医師としての医療活動を続けられなくなってしまい、もはや将来の展望はないように見えました。

しかし、企業やメディアからのキッズ・チェーンへの関心は、根強いものがありました。「私はキッズ・チェーンが自分のライフワークになるとは、思ってもいませんでした。私は活動を止めようとさえしていました。でもキッズ・チェーンの方が、私を止めさせてくれなかったのです」

本書の共同制作者（フォーラムメンバー）でもあるマリエク・ポストは、キッズ・チェーンを運営するＮＰＯの事業モデル構築のために、アナベルにキャンバスの使い方を教えました。キーリソースを考えていた時のことです。アナベルに閃きが訪れました。一瞬にして次のことに思い至ったのです。
「私自身が、キッズ・チェーンの最も重要なリソースの1つだったのです。ですから私のする事に対して、キッズ・チェーンが報酬を支払うのは当然です。それまではそんな風に考えられませんでした」

アナベルは今、小児糖尿病患者のためのＮＰＯ団体・キッズ・チェーンのディレクターとして活躍しています。

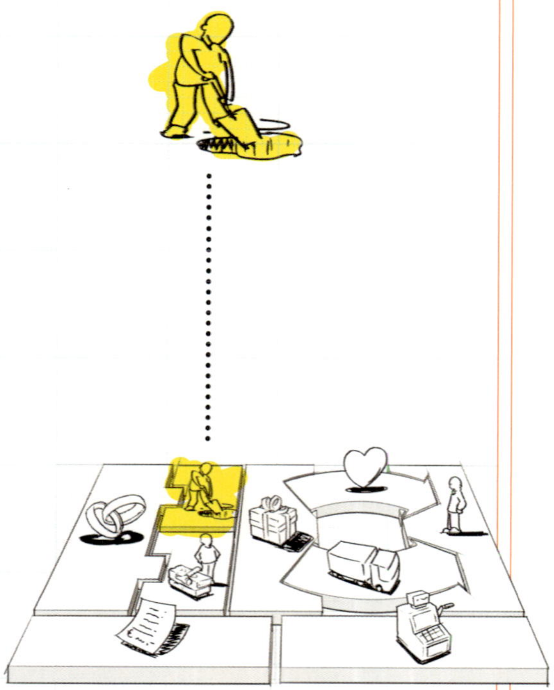

キーアクティビティ

（あなたならではの、大事な仕事や取り組みは？）

キーアクティビティ——あなたならではの仕事や取り組み——は、キーリソースの力で自ずと決まってきます。別の言い方をすれば、あなたが今すること（キーアクティビティ）は、あなた自身の姿（キーリソース）から自然に生じるものです。

まず、あなたが普段の仕事上でこなすべき大事な業務（タスク）のうちいくつかを、キーアクティビティのブロックに書き出してみてください。キーアクティビティとは、顧客の役に立つために行う、身体や頭を使った活動です。キーアクティビティは、それを実行することで生じる「与える価値」という、もっと重要なものとは異なります。

それでも、今、取り組んでいるタスクを具体的に書き出していくことは、あなたのパーソナル・キャンバスを描くための近道となります。そして、より大切な項目である「与える価値」について深く考える準備となるのです。

それではタスクを書き出してみましょう。キーアクティビティは人によっては2、3個の場合も、5、6個以上の場合もあるかもしれません。全ての活動を書き出すよりは、本当に重要な活動——自分の仕事を他と差別化する、あなたならではのタスク——を書き出してみてください。

ケース:
キーアクティビティ

メモ:
スキル重視から与える価値の追求へ

プロフィール
エンジニア

「学生生活やこれまでのキャリアを振り返ってみると、今まで自分自身が向上することにしか目が向いていなかったことに気づきました。頑張っているにも関わらず、なぜ報酬に繋がらないのか悩んでいたのです。米国海軍兵学校をトップクラスの成績で卒業し、電子工学の修士号を取得。さらに海軍で原子力技術者としてフルタイムで働きながら、MBAも取得しました。でも、どんなに頑張っても、仕事上では行き詰まりを感じていました。自分は、そこら中にいるエンジニアのひとりでしかないと感じていたのです」

「充実感を上げられないかと、転職も考えてみました。その時にパーソナル・ビジネスモデルの考え方に出会ったのです。キャンバスを描くと、私が抱えている課題が浮き彫りにされました。今まで努力して身につけてきたスキルはあっても、どのように人の役に立つかという視点が、ぽっかりと抜け落ちていたのです。『あなたならではの取り組みは？』『誰のためになりたい？』の2つの枠を埋めようとしましたが、ほとんど何も書くことができませんでした」

「スキル習得に集中している状態から抜け出して、与える価値に集中するのはとても苦しい作業でした。だからこそ、パーソナル・ビジネスモデルの考え方には、キャンバスを埋めること以上の価値があるのです。キャンバスを使うことによって私は、情熱がもてる関心事——自分が満たされると同時に他の人にも役立つことを見つけなければならないことが分かりました」

「父親としての役割に対して目をそらすことはできません。今、どうしたらもっと役に立つことができるのか考えているところです。親としての役割を、妻と平等な立場でどのように果たしていくのか、今はまだ分かりかねています。どんな家事を学ぶ必要があるでしょうか、おそらく、他の父親も同じように自分自身に問いかけていると思います。今、ビジネスモデルキャンバスを、新しい父親の役割を考える上で使っています」

名前
スティーブ・ブルックス

61

顧客
(誰の役に立ちたい? 誰のためになりたい?)

次に顧客――誰の役に立ちたいのか――をキャンバスに書き加えます。顧客とは、価値を受け取り、あなたにお金を支払ってくれる人です(場合によっては、ある顧客は価値を無料で受け取り、他の顧客がその分を補ってくれます)。

個人のビジネスモデルでは、顧客や顧客グループに職場の人を含めて考えます。顧客は、仕事であなたを頼りにしている人たちです(あなたが個人事業主なら、仕事の関係者を職場の人とみなすこともできます)。

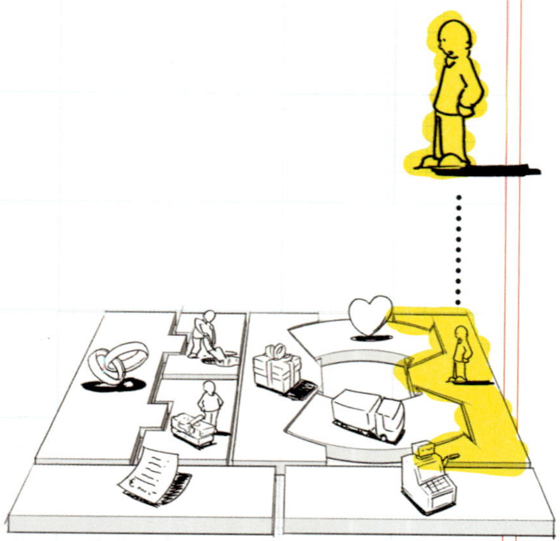

重要なのは、上司、監督者、またはそれに類するあなたの収入に直接的な影響力を持つ人たちを、顧客ブロックに入れることです。彼らは、組織があなたに給料を払うのを承認する立場の人たちなので、顧客に入ります。

もし直属の上司や監督者がいるのであれば、顧客のブロックに**彼らの名前を書き出してください。**

仕事の成果を、日ごろ誰に報告していますか? **彼らの名前**や役職についても顧客ブロックに**書き足しましょう。**

ここで少しじっくりと、考えてみましょう。あなたは、仕事でどんな役割を担っていますか? 職場で誰の役に立っていますか? 同僚と連携して仕事をしていますか?

誰があなたの仕事を頼りにしたり、あなたの仕事から価値を得ているでしょう? そのような同僚は、あなたに直接給料を支払ってはいないかもしれません。しかし、あなたが仕事でどう評価されるか、継続的に給料を得られるかどうかは、特定の同僚のためにどれだけ役に立ったのかということで判断されます。
例えば、あなたが社内でコンピューターやＩＴのサポートデスクで働いているとしましょう。顧客は、誰でしょう? 内部顧客《インターナル・カスタマー》という言葉を聞いたことがありますね? そうです、顧客は、同じ組織内の同僚になるのです。それでは現実の、あなたの組織を考えてみてください。顧客として考えられる同僚やグループがいませんか? プロジェクトリーダーやチームメンバーはどうでしょう? もしいるのであれば、**彼らの名前を書き出してください。**

次にあなたが属している組織の関係者を考えてみます。どのような顧客があなたの会社のサービスや商品を購入し、使っているでしょう? あなたは直接、顧客との関わりがありますか? 直接関係がなくても、彼らを顧客として考えて差し支えありません。

また組織にとってのキーパートナーと、交流はありますか? もしかしたら彼らもあなたの顧客リストに入るかもしれません。

最後に、あなたの職場が関係しているもっと大きなコミュニティについて考えましょう。近隣の住民や市民全体、同業者のグループ、専門家のグループ、社会貢献を行っているグループなどが考えられます。

ケース:
顧客

メモ:
顧客の物語を描く

プロフィール
ブライダルフォトグラファー

トリナ・ボワマンが、パーソナル・ビジネスモデルを創るワークショップに参加したときのことです。
ワークショップが終わった後、彼女はファシリテーターのところに相談に行きました。
というのは、パーソナル・ビジネスモデルの考え方は好きになったのですが、そのメソッドをどのように自分の状況に当てはめて考えればよいのか、分からなかったからです。

ファシリテーターは「今どのような仕事をしているのですか?」と問いかけました。

「ブライダルフォトグラファーです」

「それは、写真で結婚のストーリーを語っているということですよね」と、
ファシリテーターは感じたことを伝えました。

「ある意味、そうですね…」

「それでは、結婚以外のストーリーも、写真で語るのはどうでしょう?」

その瞬間、トリナは両腕の力が抜け、身体がよろめくほどの衝撃を受けていました。
少したってから、彼女はようやく言ったのです。「ありがとうございます。今晩は眠れそうにないわ」

名前
トリナ・ボワマン

63

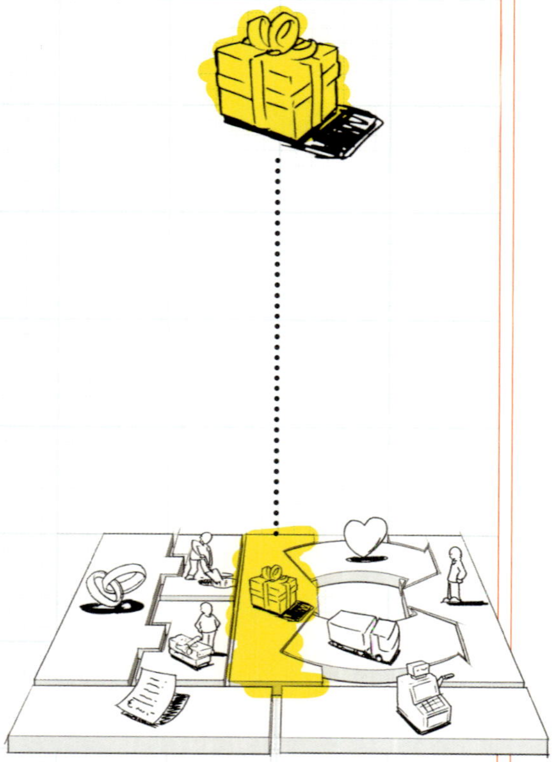

与える価値
(どう役に立ちたい？　どうためになりたい?)

顧客に与える価値を明確にしてみましょう。あなたは顧客のどんなニーズが満たされるのに役立っているのでしょうか。前にも述べましたが、これがキャリアを考える上で、最も重要なコンセプトになります。

価値を明確にするため、手始めに良い方法は、自分にこう問いかけてみることです。「顧客はどんなニーズを満たすために、自分を雇っているのか」「その仕事の結果として顧客はどんな価値を得ているのか」。

例えば、前に紹介したジフィー・ルーブ社の本当の価値は、ただ単にオイル交換をしてくれることではなく、プロが整備してくれることで、トラブルの起きない車を、汚れず、面倒もなく手に入れられることなのです。

あなたのキーアクティビティが、どのように顧客へ価値をもたらしているかを理解することは、あなたのパーソナル・ビジネスモデルを明確にしていく上での要となります。

ケース:
与える価値

メモ:
本来の仕事を見つける

プロフィール
翻訳家

名前
ミカ・ウチガサキ

65

ミカ・ウチガサキは、日本語と英語の翻訳家として働いています。
彼女の最も重要な顧客には、弁護士事務所があります。

翻訳家のカンファレンスで行われた「パーソナル・ビジネスモデル講座」に参加したときのことです。セッション中にファシリテーターが、彼女の初めて描いたまだ空白のあるキャンバスについて質問しました。

「与える価値」のブロックに、「日本語から英語へ文書を翻訳する」とあります。

ファシリテーターは問いかけました。「日本語から英語へ翻訳することは、キーアクティビティとどう違うのですか?」

ミカは、戸惑ってしまいました。

ファシリテーターが、続けて質問します。「弁護士事務所は、どんなニーズを満たすのに役立ってもらいたくて、あなたを雇っているのでしょう?」

少し考えた後で、ミカは「法廷で勝つことです」と答えました。

「では、彼らがそのニーズを満たすのに、役立ちませんか?」ファシリテーターはさらに続けました。
「『日本語から英語へ文書を翻訳する』ことは、キーアクティビティになります。あなたの『与える価値』は、数百万ドルのかかった訴訟に勝つために説得力のある文書を作成することなのかもしれませんね。顧客には、キーアクティビティと価値を絶対に混同させてはいけないのです」

その言葉を聞いたとたん、ミカの目は輝きだしました。「今まで思ってもみなかったわ。ずっと仕事を考え直す新しい視点はないかと探していましたが、今見つかりました!」

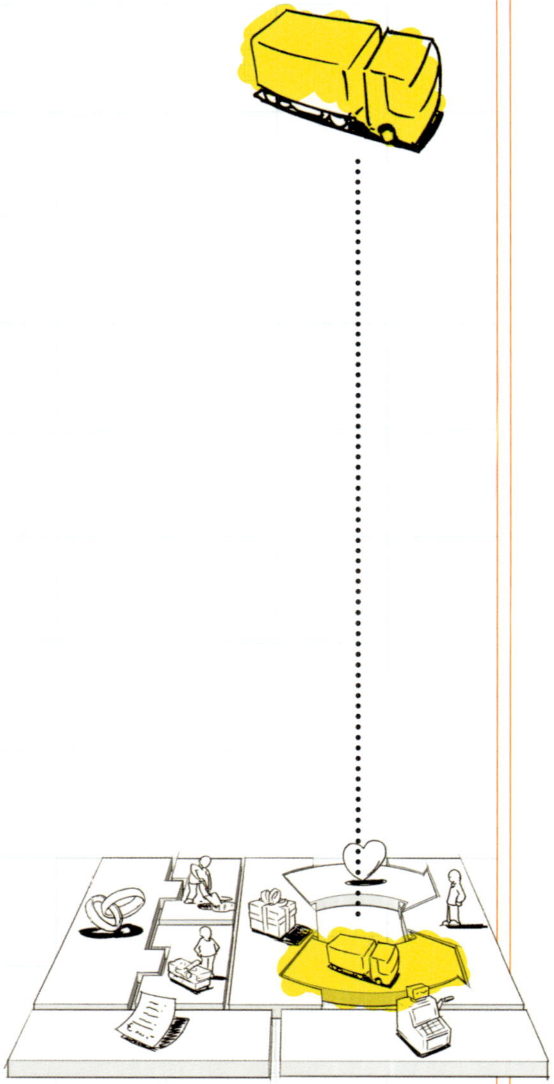

「顧客」「与える価値」を明確にできたら、
個人のビジネスモデルを描くための作業は
大部分できました。さあ、残りを仕上げましょう。

チャネル
（どう知らせる？　どう届ける？）

このブロックを埋めるために、まずビジネス用語で「マーケティングプロセス」といわれる５つの段階を考えてみましょう。マーケティングプロセスは、次の質問によって、明らかになります。

1. 顧客はあなたが何か役に立ってくれることを、どのように認知する？
2. 顧客はあなたのサービスを購入するかどうか、どのように決定する？
3. 顧客はあなたのサービスを、どのように購入する？
4. 顧客が購入したものを、あなたはどのように届ける？
5. 顧客が満足するアフターサービスをあなたはどのように行う？

顧客が購入したものを届けるチャネルを特定するのは、単純明快なことです──レポートを提出する、顧客に話す、開発サーバーにアップロードする、講演会やオンラインでプレゼンテーションを行う、車を使って製品を届けるなどが考えられます。
しかし他に、より興味深く、より重要なチャネルが、５段階の中にあります──それは、どのようにして見込み客が、あなたの存在と、あなたの与える価値を認知するかです。

顧客は口コミであなたについて知るのでしょうか？　ウェブサイトやブログからですか？　記事や講演はどうでしょう？　セールスの電話でしょうか？　Eメールやオンラインのフォーラムで？　それとも広告？

なぜチャネルが、パーソナル・ビジネスモデルで重要かということを確認しておきましょう。それは…
1)「どう役に立つか」を明確にしなければ、
「どう役に立つか」を伝えることができず、
2)「どう役に立つか」を伝えなければ、
「どう役に立つか」を売ることができず、
3)「どう役に立つか」を売らなければ、
「どう役に立つか」で報酬を得ることができないからです。

ケース:
チャネル

メモ:
チャネルを変える

プロフィール
フリーランス・グラフィックデザイナー

「なんでもすぐに自分は飽きてしまうのです。グラフィックデザイナーとして働き始めた後、職場を転々としていました。長い間1つのポジションにいることが、できなかったのです。小さい会社で働いていた時は、細かいことに気を配れない面が問題となり、遊び心をもって仕事に取り組む面は評価されませんでした。よく数カ月でクビになっていたのですが、その度に、また勤め口を探しました。起業家として独立することなど考えもしなかった。自分が完全にフリーランス向きだということは、自分をクビにした人に言われるまで気づかなかったのです。

ビジネスモデルやパーソナルマーケティングについては何も知りませんでしたが、自分はデザインスキルの他に、2つの強みを持っていると思います。1つは新しい人と出会うのが好きなこと、もう1つは、新しいプロジェクトを複数同時にこなせることです。

たとえば、初めて行く広告代理店のデザイン担当者と会って、すぐに打ち解けるのは、私にとってはとても簡単です。お昼までには、代理店の社員全員が、私が今までずっと、そこで働いていたかのように思ってしまうほどです。その時までに、社員のことや、その会社のクライアント、仕事のプロセスがわかるようになっているからです。

すぐに飽きてしまって、常に新しい人に会って新しいプロジェクトに挑戦したくなることは、フルタイムで働くには向きません。しかし、自分のチャネルをフルタイムの従業員からフリーランスにシフトすることで、この資質が自分の強みになりました。自分と同等か、それ以上のスキルを持っている同業者はいるでしょう。でも、私には新しい状況に1時間でなじめる才能があります。そちらのほうが自分の売りになると思うのです」

名前 ケン・テイマーマン

67

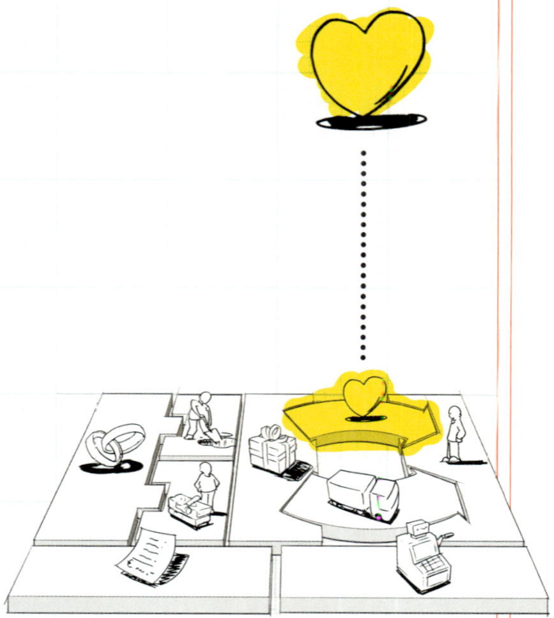

顧客との関係

（どう顧客と関わり、接する？）

あなたはどのように顧客と関わり、接しているでしょうか？　対面でサービスを行っていますか？　それともＥメールや何らかの文書でコミュニケーションをとっているでしょうか？　一度きりのサービスでしょうか？　それとも継続性のあるサービス？　より多くの新規顧客を集めるモデルですか？　それとも既存顧客を維持するモデルですか？
あなたの答えをキャンバスに描いてみてください。

ケース:
顧客との関係

メモ:
独自の方法でつながる

プロフィール

経理担当マネージャー

ジェシカ・ホーは、事務用品・紙製品メーカーの営業職に採用されました。彼女は、ステープルズ社やオフィスマックス社といった米国の大手取引先の担当になったのですが——数カ月経っても依然として、顧客との良好な関係を築くことができないことに悩んでいました。そこで彼女は、上司が推薦してくれたビジネスコーチのジム・ワイリーに、助けを求めたのです。

ワイリーがまず着目したのは、ジェシカのキャンバス上の「顧客との関係」でした。ワイリーの印象では、彼女はとてもやわらかな物腰で、話し上手。しかし、実際の彼女は、注文を受け商品を届ける時以外、顧客に電話をかけることはありませんでした。彼女は自分を「デジタル時代の落とし子」だと思っていて、顧客と会って話したり、電話で話したりするよりも、Eメールを送るほうが楽だと感じていたのです。

そこでワイリーは、機会ある毎に、クライアントに携帯で電話をかけることを彼女に勧めたのです。そのアドバイスに従って電話をかけてみると、顧客との関係はまもなく温かく人間的なものに変化しました。電話をすることで仕事が早く進むことも多く、また次に会って打ち合わせをするまで、良好な関係を保てるようになったのです。

名前
ジェシカ・ホー

キーパートナー

（鍵となる協力者たちは、誰？）

キーパートナーは、あなたが要求されているニーズをうまく満たすのを、専門家として支えてくれる人たちです。あなたにモチベーション、アドバイス、成長の機会を与えてくれます。さらには、何らかの作業を完遂するために必要なリソースを提供してくれます。キーパートナーには、同僚やメンター、専門家仲間、家族や友達、アドバイザーなどが当てはまります。**あなたのキーパートナーを書き出してみましょう。**書き出した後に、さらにキーパートナーの範囲を広げて考えてもいいかもしれません。

ケース:
キーパートナー

メモ:
組織内のパートナーを考える

プロフィール
営業担当

ジョン・タイラーは営業職として20年間、プラスチックの原料を売ってきて、自分なりのやり方で、顧客との取引を行ってきました。自らの判断で価格や支払い期日を決め、社内の営業報告書は最小限しか提出してきませんでした。しかし大手国際企業に会社が買収されたことで、全てが大きく変わったのです。

新しい大企業において、ジョンの営業スタイルは、管理やマーケティング面で営業職をサポートしているスタッフに反感を買ったようでした。スタッフは、営業職に価格や支払い期日のガイドラインを示し、営業報告書の提出を求めていました。それがなくては営業の状況を把握して経営陣に報告できないからです。

ジョンは、個人のビジネスモデルを再検討してみました。すると、企業が買収されたことで、新しいキーパートナーが社内にできたことに気づいたのです。それは彼が成功するために外部の顧客と同じくらい重要な人々でした。また彼自身の「自由裁量」のスタイルが時代遅れだということも理解しました。

ジョンは営業報告書を新しい社内のキーパートナーに提出することを決めました。そしてセールスマネージャーやサポートスタッフと頻繁にコンタクトをとるようにしたのです。彼のシンプルかつ斬新な行動は、社内のサポートスタッフに歓迎され、彼らの信頼を勝ち取ることとなりました。

名前
ジョン・タイラー

報 酬

（何を手に入れる?）

収入源を書き出してみましょう。給料、契約に基づく報酬、ストックオプション、ロイヤリティ、その他の収入源が考えられます。さらに福利厚生を書き足しましょう。健康保険や退職金、研修補助などが当てはまります。ビジネスモデルを変更したい場合は、数値化できないソフト面――仕事の満足度、周囲からの評価や社会貢献性なども考えると良いでしょう。

ケース:
報酬

メモ:
報酬を考え直す

プロフィール
エグゼクティブアシスタント

ジェット・バレンデットは、プライスウォーターハウス・クーパーズ（ＰｗＣ）のヨーロッパ支店で、上級パートナーのエグゼクティブアシスタントをしていました。

事業が成長するにつれ会社は、ジェットと同じ役職レベルのアシスタントを増員。しかし離職率が高かったので、彼女は責任の重い仕事をいくつも任された上に、新入社員の教育にも携わっていました。10年後、ジェットは会社にとって必要不可欠な存在となりましたが――彼女は自分の専門性や「価値」を、余り評価されていないと感じていました。

その後、事務所の移転が告知され、通勤時間が劇的に長くなってしまうことを知りました。そこで彼女は、パーソナル・ビジネスモデルを作り直すことを決心したのです。

ジェットはＰｗＣを辞職後、個人向けのバーチャルアシスタントサービスを開始。クライアントにEメールや電話、スカイプ、クラウド上のツールを利用して、サービスを提供し始めました。ビジネスモデル上の鍵となる改革は、「報酬」のブロックにありました。彼女は給与に代わって月々のサービス料を、報酬として得ることにしたのです。

今やジェットは通勤の必要もなくなり、子どもと過ごし、趣味に費やす時間を持てるようになりました。彼女はＰｗＣで働いていた時の、３倍の収入を得ています。しかもクライアントを選べるようになりました。

「私の経験は、『コスト』を下げながら、『報酬』は上げられるという見本になるのじゃないかしら」と彼女は言っています。

「必要なことは、コミットメント、信用、そして正しいビジネスモデルなのです」

名前
ジェット・バレンデット

73

コスト

（何を費やす?）

コストは仕事を行うために、あなたが費やしているものです。主に時間、エネルギー、お金が当てはまります。

ハードコストとは、実際に現金の支出が生じる費用のことで、次のような項目が挙げられます。

- トレーニングや講習の費用、定期購読費
- 通勤・出張費、交際費（米国では会社ではなく個人負担）
- 車両、各種機器、特殊な衣類
- インターネット関連費、通信費、交通費、光熱費（自宅やクライアント先、いずれの場所でも生じます）

またコストには、「キーアクティビティ」からもたらされたり、「キーパートナー」との関係から生じたりする、ストレスや不満も含まれます。このようなソフトコストについては、次章で論じることにしましょう。

ケース:
コスト

メモ:
アクティビティの質が、コストを決める

プロフィール
宣伝担当幹部

名前 マーク・デギンジャー

75

「マーク・デギンジャーが私のオフィスに来たとき、彼の顔にはまるで『私は間違った仕事をしています』と書いてあるようでしたよ」。キャリアカウンセラーのフラン・モーガは振り返ります。「悲惨でしたよ。10万ドルを超える年俸、豪華な家、そしてボートも彼は持っていました。しかし彼は毎日、体を引きずって会社に行っていたのです。午後を耐え抜くためだけに、ランチを長くとったりしていたそうです」

「マークは利益重視の広告代理店で働いていました。ストレスが多い、熾烈な競争社会です。彼は働きづめで腰も痛めていた。若いのにもかかわらず、かなり老けてみえましたね」

「彼は仕事がとてもできる男だったのですが、一番の問題は、その仕事によって、価値観の葛藤が引き起こされていたことです。仕事での成功に囚われつつも、仕事を超えて社会貢献していると感じられる何かを求めていたのです」

「ある日、私は彼に『なぜ今の状況を続けているのですか？　引替えに何を費やしているのか、考えたことはありますか？』と聞いてみました。彼は一言も発しないで、その場を去りましたが、次のセッション時には、すべて理解したようでした。『さまざまな人との関係や、自分の健康、そして人生の楽しみを引替えにしてきました』と彼は言ったのです」

「マークが最後のミーティングに現れたとき、状況がよくなっていることが話を聞かなくても分かりました。すごく輝いていて、リラックスしている雰囲気だったのです」

「『元気ですか？』と聞くと、『最高です！』と、彼は答えました。広告代理店の仕事を辞め、生活を質素にすることに奥さんと意見が一致したのです。彼は、恵まれない人や障がい者をトレーニングするＮＰＯに勤めるようになりました。
給料は大幅に減りましたが、それ以上の幸せを感じているそうです」

76

名前 クリス・バーンズ

キーポイント:
仕事は自分のものじゃなく、顧客のもの

プロフィール:
博士課程の学生

経験あるジャーナリストのクリス・バーンズは、従来の出版ビジネスモデルは――彼女の勤務先の会社のモデルを含めて――インターネットが席巻する以前から、衰退し始めていると見ていました。そこでリストラされたときには、彼女はすでに博士課程に入学し、ライティングの教授になることを目指していました。

彼女が環境問題に対して強い関心を持っていたことと、博士課程の理事会メンバーから人脈を得られたことにより、クリスは大学教授の学術論文を編集するアルバイトを始めました。すると予想外にも、彼女はこの仕事を楽しむことができました。

ある日、彼女は本当の仕事は編集ではなく、もっと価値のあることだと気づきました。それは、論文を一流の学術雑誌に掲載させることで顧客の役に立っている、ということです。それから彼女は時給を大幅に上げて、調査に要した時間についても請求することに決めました。

結果は、どうなったでしょう？　彼女は、さらに多くの顧客を得ることになったのです。

振り返ってみて、最初のビジネスモデルには2つの落とし穴があったと彼女は言います。

「キーアクティビティ」と「価値」を、同じだと思っていた

クリスは、顧客が最も満たしてほしいニーズが何かを見極めておらず――、そのニーズを満たすための、自分が与える価値についても明確にしていませんでした。その結果、クリスは自分の与える価値は、編集・校正作業だと見なしていたのです。それによって自分の仕事の意義を引下げてしまっていました。

仕事は、顧客のもの

初めからクリスは編集の仕事に、慣れ親しんでいました。そのために自分の仕事は文書を読みやすくし文体を改善する作業であると、狭めて考えていたのです。学術雑誌に掲載されることこそが顧客の満たされるべきニーズであり、彼女はニーズを満たす役に立っていることを顧客に伝えるようにしたら、彼女の価値（そして評価）は格段に上がったのです。

クリスは、どのようにパーソナル・ビジネスモデルを改善させたか？

キーパートナー
博士課程の
理事会メンバー

キーアクティビティ
編集する
書き直す
調査する

マーケティング

キーリソース
ビジネスや
環境問題への関心
一流のライティング技術
編集スキル
極めて注意深く、
細部にこだわる

与える価値
~~記事を読みやすくし文体を改善する~~

一流の
学術誌に論文が
載るように
顧客の役に立つ

顧客との関係
個別のサービス
顧客維持重視

チャネル
Eメール
スカイプ
インターネット

顧客
大学教授、
主に
ヨーロッパ在住

コスト
~~追加調査に要する時間、エネルギーと、そこから生じるストレス~~

時間、
エネルギーを
追加調査と
マーケティング
に費やす

報酬
~~編集料~~

単なる
編集料よりも
多い報酬

Reflect 熟考する

あなたの人生の方向性を見つめ直す。
個人としての望みと、キャリア上の望みを、
どう両立するのか？

CHAPTER 4

あなたはどんな人？

キーポイント:

「あなたはどんな人か」を、「何をするか」に落とし込む

プロフィール:

ドッグランナー

アンドレアは広告制作会社の撮影スタッフでしたが、ある日のこと突然、解雇されてしまいました。その際、パニックだけは起こさないようにしました。手近な人材派遣会社に駆け込んだり、クレイグズリスト社掲載の顧客サービス係に応募したり、家族にお金をねだったりはしなかったのです。

その代わりに、彼女はぽっかり空いたスケジュールを、今まで仕事が忙しくてできなかった打ち合わせ、つまり自分との打ち合わせに使うことにしました。

「すぐ入ってくるお金」のために短期的な仕事に飛びつきたい誘惑は強かったと、アンドレアは認めています。しかし幸い、自分自身のことを深く考えたい、そして自分自身の、新たなビジネスモデルを創りたいという欲求が勝りました。彼女は言っています。「職を失うまでは、まるで自動運転状態。何も考えることなく働き詰めでした。失業は、自分の仕事へのコントロールを取り戻す最高の機会かもしれないと思ったのです」

アンドレアが熱中できる対象は、2つありました ——犬とランニングです。彼女が生まれたとき、すでに家には大きなセントバーナードがおり、その後ずっと、犬を友として生活してきました。彼女は後にランニングを始めると、ペットに夢中なのと同じくらい、8キロばかり走ること——時にはマラソンを走ること——に熱中したのです。この2つの大好きなことを、彼女は完全に別のものと考えていました。しかし撮影の仕事を解雇される数か月前から、アンドレアは熱中している2つを両立させていました。つまり子犬のモリーと一緒に、走るようにしたのです。時々、友達の愛犬も連れていき、アンドレアと2匹の犬は、シアトルの町を楽しげに駆け抜けていました。

失業してからは、毎日のようにモリーと走りました。そして時間は十分にあったので、友人の犬も預かって、一緒に走るようになりました。
「犬と走ることで、正気を保てたんです…」と彼女は言います。「それどころか、むしろ幸せに感じたほど。子犬たちと走っている間は、心配事から解放され、天にも昇る気持ちでした」

ある日のこと。彼女がランナーズワールド誌をめくっていると、キャリア転換をもたらす記事に目がとまりました。「シカゴの男性が、犬を走らせることをフルタイムの仕事にしている。しかも彼は、それしかしていないというんですよ！」アンドレアはペットを走らせるだけで生計を立てられるはずがないと当初、懐疑的でした。でも実際に、彼のことを調べてみたところ——確かにその男性は、犬を走らせることをフルタイムの仕事にしている、ドッグランナーだったのです。

アンドレアはすぐさま友人たちに電話しました。シカゴのドッグランナーの話をして、彼らのペットを定期的に走らせることにお金を払う気になれるか、尋ねてみたのです。すると、驚いたことに、友人たちの答えはイエス。「彼らの愛犬と私が走り出してから、犬の調子が良くなっているのが分かると言ってくれたんですよ。走ることがペットの幸福や健康につながっていることを理解して、喜んでお金を払ってくれたのです」

アンドレアは、有頂天。

当初、彼女の新たな収入は、“雀の涙”程度。とても“現金の流れ（キャッシュフロー）”と言えたものではありませんでした。でも、友人たちは彼女のサービスをとても気に入っていたので、同僚や街の知り合いに盛んに話をしてくれたのです。すると突然、知らない人たちからもサービスを依頼されるようになりました。彼女はワクワクしました。
「正直言って、犬と走ることを『本物の』仕事とは思っていなかったのです。私はいつも新しく犬が増えるのを受け入れましたが、それは、私がそうしたかったから…。犬たちも喜んでいるのが分かっていたからです」

問い合わせが続いた結果、アンドレアはいつの間にか、犬と走るサービスから得た収入で家賃が支払えるようになっていました。そして数カ月後には、他の支出も賄えるようになっていたのです。もともとは趣味として始めたことが、徐々に本業になっていることに、彼女は気づきました。それが意味するのは、今後はビジネスとして考えなくてはならないということです。彼女はペット保険に加入、ペットの心肺蘇生法の資格を取得、そしてウェブサイトを立ち上げました。

アンドレアは今、フルタイムのドッグランナーとして生計を立てています。50人以上ものクライアントを抱えているので、手助けしてくれる他のランナーも雇うようになりました。ランナーたちにとっては夢のような話ですが、このビジネスの価値は、まさにそこにあるのです。彼女は言います。「私の仕事は、夢を生きること以上のものになりました。なぜなら自分だけではなく、他のランナーにとっても夢を生きる道を、私は切り開いたのですから。それは私にとって、信じられないくらいの満足をもたらしてくれています」

理想の仕事は、見つかるというより、生み出されることが多いものです。

だからこそ、ありきたりの探し方では、まず手に入りません。

理想の仕事を生み出すには、しっかりした自己認識が必要です。

あなた自身を発見する

「求職者が理想の仕事を見つけられないのは、求人市場を知らないからではない、自分自身を知らないからだ」そう言うのは『あなたのパラシュートは何色？』の著者リチャード・ボウルズ。同書は、過去40年以上にわたり、英語で書かれたものとしては最も売れているキャリア指南書です(注5)。ボウルズによれば、理想の仕事は見つかるというよりは、生み出されることの方が多い。だからこそ、ありきたりの探し方では、まず手に入りません。理想の仕事を生み出すには、しっかりとした自己認識が必要なのです。

自分のキャリアや自分自身を深く見つめ直す機会は、アンドレアのように、しばしば人生の危機とともにやってきます。たとえば、失業や新規ビジネスの失敗などです。ですから、そのような事がないにも関わらず、自分のことばかり考えているのは、自己中心的だという印象をもつかもしれません。しかしボウルズは、決してそうではないと言います。なぜなら、自分について深く考えることは、世界があなたに最も望んでいることは何かという問いを通して、世界について考えることと、必然的に関係してくるからです。

更に、危機が訪れなくても自分が何者か深く考えることは、あなたにとっても、顧客にとってもメリットがあります。なぜなら、自分自身を見つめることで、燃え尽きてしまったり、幻滅を味わったりするのを防ぐことができるからです。そして、あなたが自分に満足していれば、もっと人に尽くすことができるからです。

しかし、差し迫った問題にせき立てられることなく、私たちはどうすれば、効果的に自分自身について熟考できるのでしょう？

仕事の先にある世界

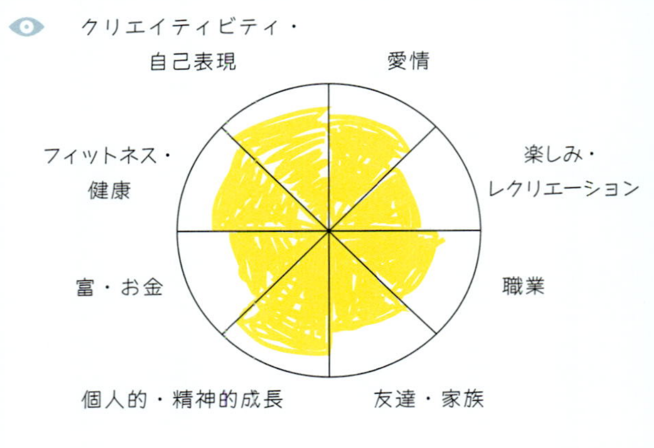

キャリアカウンセラーが活用するツールの１つに、「ライフ･ホイール（人生の車輪）」があります。これをきっかけに、クライアントに自分を見つめ直してもらい、カウンセリングをスタートするのです。ライフ・ホイールにはさまざまなタイプがありますが、どれも共通して幅広いテーマと興味の分野を扱っています。たとえば､フィットネス･健康､職業､富･お金、個人的･精神的成長、楽しみ･レクリエーション、愛情、友達･家族、環境･家、クリエイティビティ･自己表現､ライフスタイル･愛用品などです。上の中から自分に関係が深いと思う８つのテーマを選び、ライフ・ホイールの各セグメントに書いていきます。

「ライフ･ホイール」のエクササイズ

- 前のリストから８つのテーマを選びましょう（あるいは、あなた自身のテーマや関心のある分野を入れて、組み合わせてみましょう）。
- 白い紙や87ページのホイールを使って、それぞれのテーマで今、自分がどのくらい満足しているかを考えます。車輪の中心を満足度ゼロ、車輪の円周上を最大として、あなたの満足度がどれくらいか、各セグメントのスポークに沿って点をつけていきます。
- ８つのテーマ全てに点を付けたら、付けた点をつなぎ合わせて、線の内側に色を塗りましょう。

色を塗った部分が現在の人生における、あなたの満足度を表しています。上の図のように、部分的に他よりも満足度が低いテーマがある場合は、そこにもっと意識を向ける必要があることを表しています。

ここまで終わったら、キャリアカウンセラーは、違う色のペンをクライアントに渡します。クライアントはそのペンで、自分が各セグメントでどの程度の満足度を求めているか考え、色を塗り足していきます。必ずしも皆が同じような優先順位をつけるわけではないことを、カウンセラーはクライアントに伝えます。例えば友達・家族のセグメントが半分で十分な人もいれば、それでは受け入れがたい人もいるのです。

このエクササイズは、幅広い人生のテーマの中で、自分の核となる関心事がどこにあるのか知る手がかりとなります。人生には、仕事と同じくらい、もしくはそれ以上に重要なものがあるかもしれないと、思い出させてくれるのです。

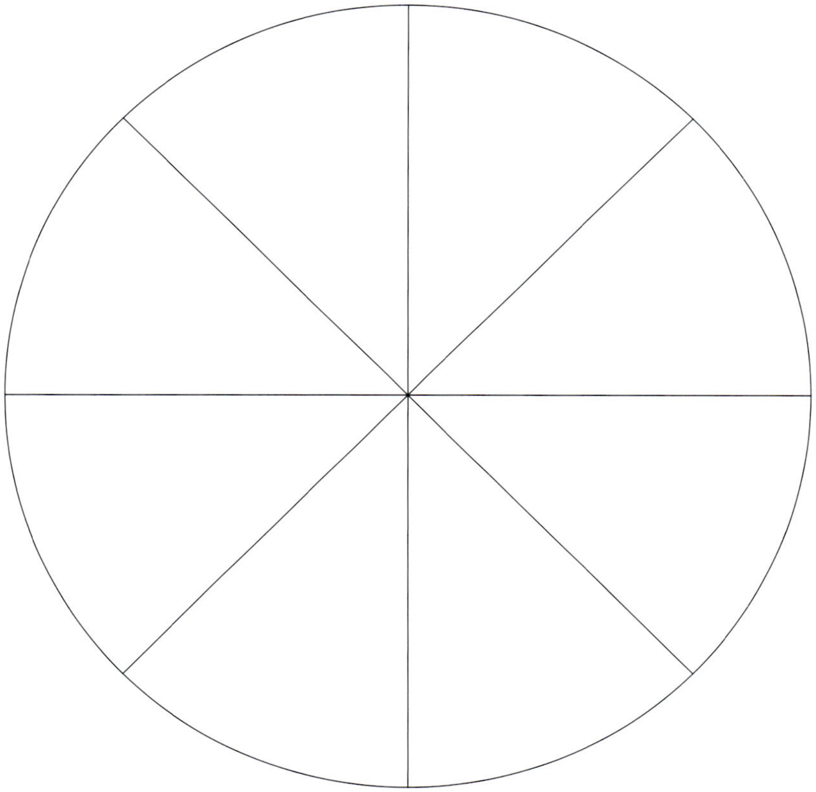

質問:
「私はどんな人?」
に答える

あなたの人生の中で、仕事と仕事以外のテーマが、どのように調和しているか考えてみましょう。ときには、バランスを欠いていると思うかもしれませんが、その場合、どうすればバランスを取り戻すことができるでしょう?

アンドレアが、どのように人生の目的を見出し、充足感を得たか覚えていますか? 彼女は長いこと好きだったもの、つまり犬と過ごす生活へと戻っていきました。子どもの頃に楽しんでいたことは、大人になってから、私たちが進むべき方向を示してくれることもあるのです。

子どもの頃には、自分は誰で何をしたいのか、知っていましたよね。たとえそれを説明する言葉を持っていなかったとしても…。

しかし、マーカス・バッキンガムが言うように、どこかの時点で「あなたの子どもらしい明晰さは失われてしまった。自分自身に問いかけるより、周囲の世界に耳を傾けるようになった。世界は説得力があって声も大きいので、あなたはあきらめてその要求に従うようになった」(注6)。

自分のキャリアや価値観は、自分が望んだものというより、周囲の期待によるものかもしれません。その可能性を考えてみることはとても大切です。特にキャリアを決める場面では、家族、仲間、先生から「安全性」、「安定性」、「社会的信用」、「給料の良さ」などを考えて選ぶよう言われがちです。

周囲の期待が問題なのは、それを自分自身のものであるかのように取り入れてしまうからです。社会的承認への欲求は、自分の内面にある価値基準をたやすく圧倒してしまいます。

キャリア選択の場面において、周囲の期待があなたに合わないものだったらどうなるでしょうか?

これから、周囲の期待ではなく自分自身を深く知るための考察をしていきましょう。

まずは子ども時代のあなたを思い出すことから始めます。

20歳以前の、どこかの時点に
戻って考えてみます。

何をするのが好きでしたか?

どんな活動——ゲーム、趣味、スポーツ、課外活動、あるいは学校の教科——を楽しみましたか?
何かを強制される前の、
本来のあなたの気質を思い出してみてください。

何時間も没頭し、
他のことを全て忘れてしまうほど、
幸せな気持ちにしてくれたことは何だったか
考えてみましょう。
何をしている時に時間を忘れましたか?

次のページに書き出してみましょう。

核となる関心事《コア・インタレスト》を前面に出してみましょう!

自分が幸せになれることやそれに近いことを、今も夢中でしていますか？　それはライフ・ホイールの一部になっていますか？

前出のマーカス・バッキンガムが言うように、私たちは責任ある大人として生計を立てられるよう、勉強し、働き、何かと備えをするという真面目な務めを追求するあまり、「子どもらしい」活動を諦めてしまいがちです。
おそらく子ども時代に熱中したことと、大人として満足することは相容れない——そう思い込んでしまって、子ども時代の情熱を、ありきたりな目標のために捨ててしまうのでしょう。
しかし、長期にわたって自分自身をまわりに順応させていても、自分の核となっている個性、情熱、関心は、子ども時代のまま余り変わらないことを、ほとんどの研究結果が示しています（注7）。

ですから、私たちは大人になって、いわゆる「成功」を手にしても、子どもの頃好きだったことに根差した夢を、どこかに隠し持っているのです。一例として、税務専門の弁護士であるキャロルの話を126ページに載せています。

もし私たちが、このように自分自身の核となる関心事に気づこうとせず、追い求めることもなければ、充分な満足感や達成感を得ることなく、人生を終えることになってしまうのです。

「私たちの誰もが、心の中に秘めたる望みを持っています。その望みは、時間が経ち人生が過ぎていくにつれ、秘めたる悲しみとなっていくのです。秘めたる望みは人によって様々。なぜならそれは自分自身の表現——自分は、こうありたいと最も強く待ち望んできたものだからです。この心の核にあるものを、多少なりとも表に出せて初めて、私たち1人ひとりは人生に満足し、生きる価値があると思えるのです」

ジョージ・キンダー（注8）

複数の役割

ここまで仕事、関心事、子どもの頃の自分について、
見つめ直してきました。
それでは、次のエクササイズに進みましょう。
あなたの仕事と人生のステージを前へ進めるために、
あなた自身を明確にするように考えてみてください。

「私は、どんな人？」——キャリアカウンセラーとして世界でもっとも影響力があるともいわれるディック・ボウルズは、この本質的な問いについて考えるために、効果的な方法を考案しています。

何も書いていない紙を10枚用意してください。
それぞれの紙の一番上に、「私はどんな人？」という質問を書きます。

それから１枚に１つ、答えを書いていきましょう。

終わったら、また10枚の紙に戻って、次の２点について、答えを膨らませてみてください。
1. なぜその答えを書いたのか？
2. その答えに関連して、
　何かワクワクすることがあるか？

全て書き終わったら、どの紙があなたにとって大切か検討して、優先順位に従って並び換えます。つまりは、あなたにとって最も重要なアイデンティティは、どれでしょうか？　それが書かれた紙を１枚選び、一番上に置きます。二番目に重要なアイデンティティは、どれでしょうか？　その紙を、一番上の紙のすぐ下に置きます。最も重要でないものが一番下になるまで、この作業を続けてください。

最後に、重ねられた10枚の紙に戻り、あなたをワクワクさせるものについて何を書いたかを見てみましょう。10枚の答えの中に共通項がありますか？もしあるようなら、もう１枚紙を用意して、その共通項を書き出していきましょう。

ほら、どうです！　あなたがワクワク、満足、そしてまわりに役立っていると感じるために、理想の仕事やキャリア、自分自身の使命に取り組む上でなくてはならないものが、示されているでしょう（注9）。

次のページは、『ビジネスモデルYOU』の共同制作者《フォーラムメンバー》たちの１人がこのエクササイズを行った例です。

私は、どんな人？

それぞれの役割の中で、何にワクワクするか？

1.夫

愛、セックス、
家族の中心、
仲間としての関係

2.父

刺激、喜び、
子どもの成長を見る楽しみ、
子どもが達成したことへの
誇り

3.教師

人を助ける、役に立つ、
謎や真実を探求し
解明する、
計画し発表するスキルを
使う、学ぶ、書く

4.起業家

新しいことを創る喜び、
報酬とリスク、
未解明なことがある、
自己表現

6.息子

家族の絆、
親と子の関係を考える、
受け継いでいくものに
ついて考える

7.兄弟

家族の絆、
仲間としての関係、
受け継いでいくもの
について考える

8.翻訳者

当たり前でないスキルを
使う、言葉を使う、
文化間の架け橋となる、
文化を超えた真実を
見つける、
書く、編集する

9.演説者

注意を引く、
認知される、
メッセージを考えて
伝える、賞賛を得る

5.著者

自己表現、認知される、
書くスキルと技術を
使う喜び、
言葉の美しさ、上品さ

10.音楽愛好家

美を生み出し、共有する、
学ぶ、仲間としての関係、
演奏する

共通している点は？

謎や真実を探求し
解明する、
計画し
プレゼンテーションする、
書く、自己表現、学ぶ、
当たり前でないスキルを
使う、仲間としての関係

私が幸せで、人の役に立ち、
自分が生かされていると思えるためには、
私のキャリアに何が含まれているべきか？

主に言語を使って、真実や
美についてメッセージを準備し、
伝えること。それには、文章で
表現することや、
聴衆へのプレゼンテーションを行う
こと、また多くの人と仲間として
交流することも含まれる。

複数の「キャンバス」

あなたの役割について考え、
優先順位をつけることができたら、
それぞれの役割の
キャンバスを描いていきましょう。

たとえば、配偶者としての役割をキャンバスに描いたとしましょう。
その時、誰があなたの顧客になるでしょうか？
どんな価値を与えることができますか？
何がキーアクティビティになるでしょうか？

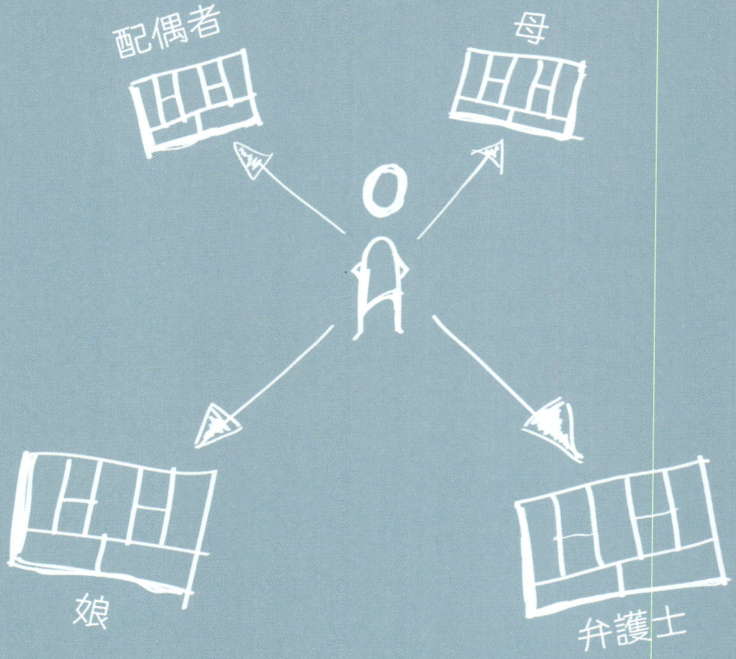

クリスチナ:真の個人としてのビジネスモデル

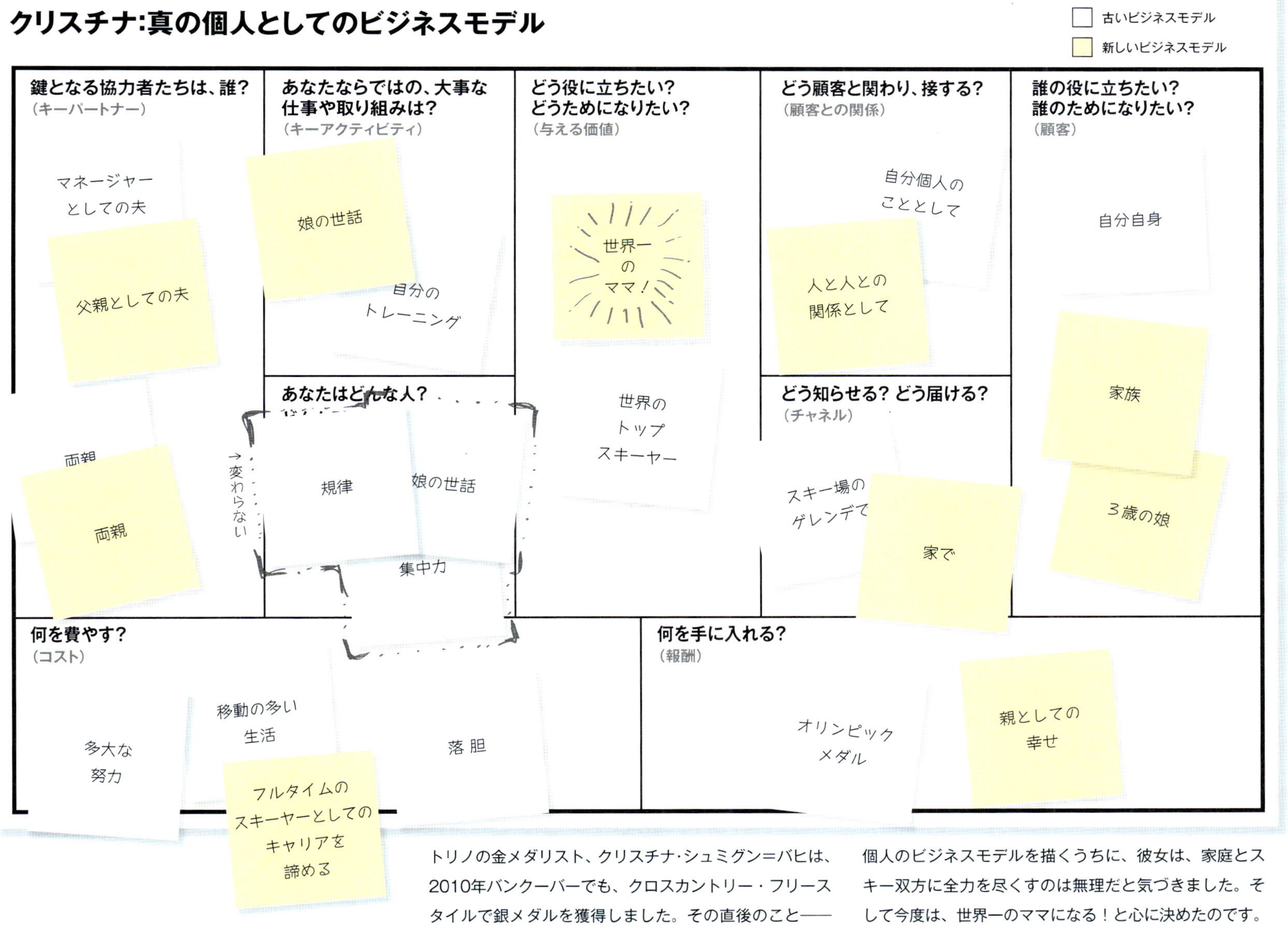

トリノの金メダリスト、クリスチナ・シュミグン=バヒは、2010年バンクーバーでも、クロスカントリー・フリースタイルで銀メダルを獲得しました。その直後のこと——個人のビジネスモデルを描くうちに、彼女は、家庭とスキー双方に全力を尽くすのは無理だと気づきました。そして今度は、世界一のママになる!と心に決めたのです。

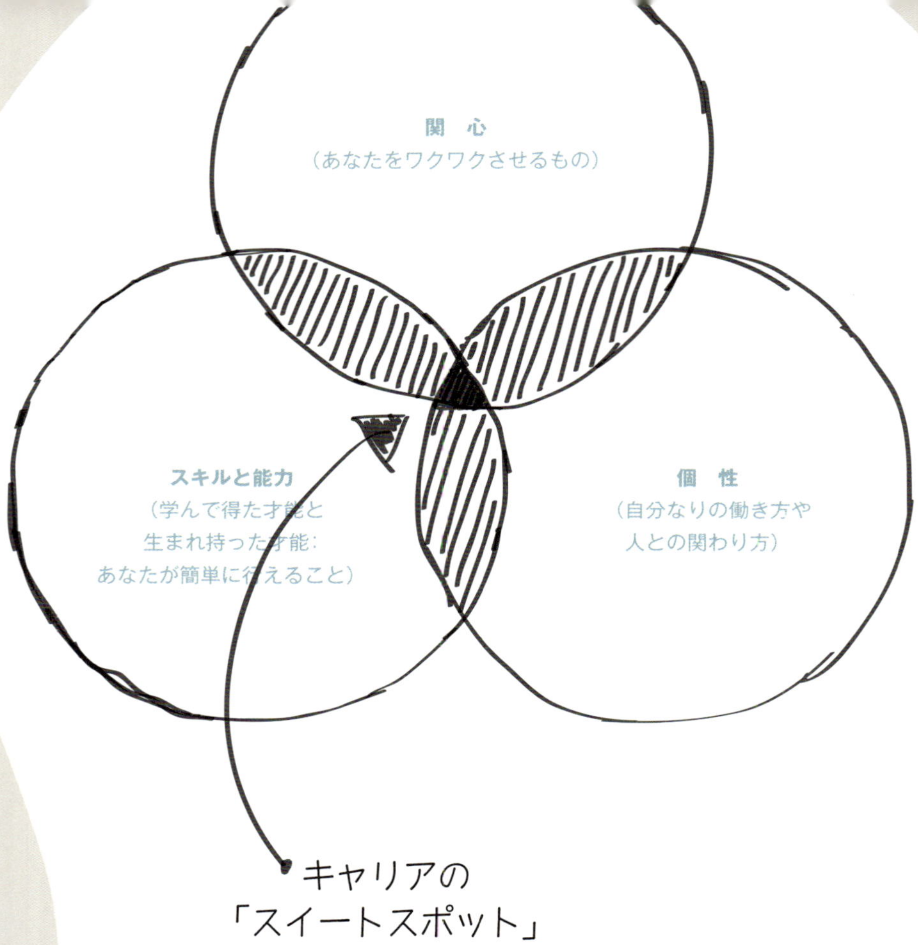
関　心
（あなたをワクワクさせるもの）
スキルと能力
（学んで得た才能と
生まれ持った才能：
あなたが簡単に行えること）
個　性
（自分なりの働き方や
人との関わり方）
キャリアの
「スイートスポット」

ライフライン
を描く

多くのキャリアコンサルタントは、仕事での満足度を決めるのは、3つの要素だと言います。それは「関心」、「スキルと能力」、そして「個性」です(注10)。

この3つの要素を明確化・検討するために、
ライフラインを描くことが役に立ちます。

a. 人生の喜びを感じた時、落ち込みを感じた時の節目を、図に描く

人生の中で良かった出来事、悪かった出来事を、時間軸に沿って書いていきましょう。思い出せる限り、過去にさかのぼってみます。

縦軸は喜びとワクワクを、
横軸は時間を表しています。

喜びや落ち込みを感じた節目とは――

- 人生の重要な出来事で、良かったことも悪かったことも、個人的なことも仕事上のこともあげていきます。仕事、人付き合い、恋愛、趣味、学業、精神修養など様々な分野に関することが入ります。
- 人生の節目のうち、はっきり覚えていて、それに関し強い感情を持っているものを書きます。
- 重要なキャリア変更で、ポジティブなものもネガティブなものも書きます。

下にある記入していない「ライフライン」を使ってください（あるいはご自分で作ってください）。それぞれの出来事について図に印をつけ、短い言葉で表しましょう。例えば「ケンイチと結婚」「ショウエイ社に就職」などです。

一番左から、思い出せる一番古い出来事を書き、現在に向かって書いていきましょう。15から20個の出来事が書けたら、それぞれの点を線でつなぎます。

あなたのライフラインも、次のダーシー・ローブルズのようになったことでしょう。彼女は『ビジネスモデルＹＯＵ』のフォーラムメンバーです。彼女は、今の仕事にどの程度満足しているか明確にするため、このエクササイズを行いました。

＋

喜び／ワクワク

私のライフライン

－

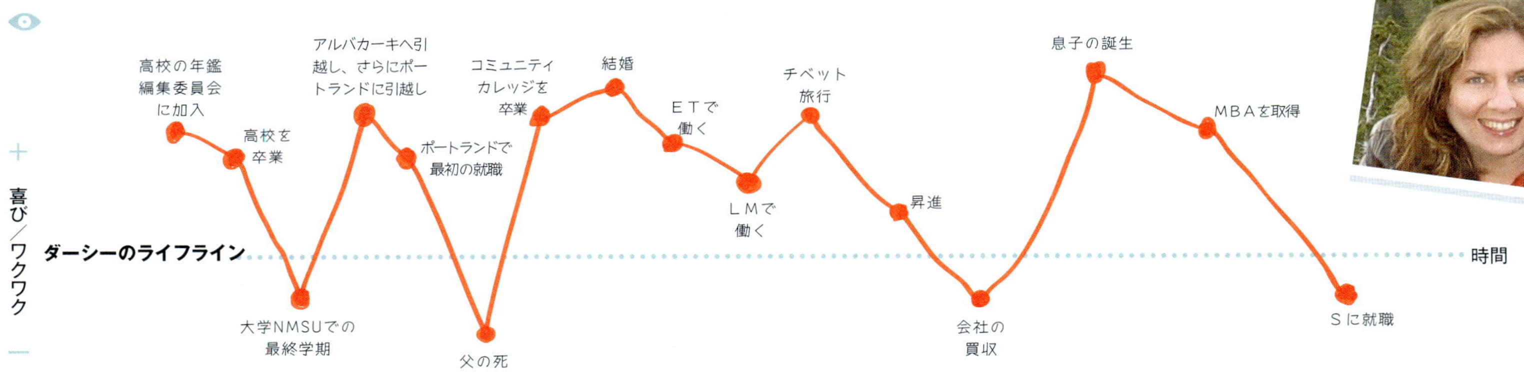
喜び／ワクワク
+
−
ダーシーのライフライン
時間
高校の年鑑
編集委員会
に加入
高校を
卒業
大学NMSUでの
最終学期
アルバカーキへ引
越し、さらにポー
トランドに引越し
ポートランドで
最初の就職
父の死
コミュニティ
カレッジを
卒業
結婚
ETで
働く
LMで
働く
チベット
旅行
昇進
会社の
買収
息子の誕生
MBAを取得
Sに就職

時間

b. 出来事を描写する

それぞれの出来事を描写する簡潔な文章を、1、2文ずつ書いてみましょう。目的は、前に述べた「関心」「スキルや能力」「価値」という、仕事の満足度を決定づける要素を見つけることです。

描写するときのルールがあります。まず動詞をたくさん使ってください。「デザインした」「案内した」「集めた」などです。1つの出来事について、2つ以上の動詞を使って説明してください。例えば、学校の集まりでソロで歌を歌ったとしましょう。ただ「歌を歌った」と表現するのではなく「選曲し、練習し、校内タレントショーで『雨を降らせないで（Don't Let the Rain Come Down)』を歌った」というように書きます。

この段階で、あなたが何かしたときのコンテキスト――状況や背景も書いておきましょう。言い換えれば、その出来事の起った場所やテーマです。上の例で言うと、コンテキストは「校内タレントショー」になります。

ダーシー・ローブルズは、5つの出来事をこのように描写しました:

1. 年鑑編集委員会に入る

高校の年鑑のデザインと作成を行っているグループの一員として働いた。ポジティブ思考の重要性を学び、この活動を通して自分に自信を持つことができた。

2. ポートランドコミュニティカレッジ・コンピューター学科を卒業

問題解決のために、分析的手法を使ったり推論したりすることに大変満足した。解決策を立案し実現することを学んだ。グループで同じ目標に向かってアイデアを出し合い、協力した。

3. ET社で初めてIT担当者として働く

社内の他部署から、問題解決や新規事業開発の依頼を受けた。解決策を実行するために技術的/分析的スキルを活かせたことに喜びを感じた。多様な分野で働いたので、技術的な知識を継続的に増やせた。活気に満ちた、楽天的な職場の雰囲気を楽しんだ。

4. チベット旅行

冒険や独特なチベット文化を楽しんだ。民族や歴史についての知識を得た。自分を見つめ直し、成長するための期間。

5. 買収による雇用主の変更

チームを管理し、日々の業務をこなした。技術的進展はほとんどなく、進歩的なことを実践しようとする考えや能力は抑圧された。いくらか個人的成長はあったが、新しい学びはあまりなかった。新会社は、官僚的で古いマネジメントスタイル、価値重視でなく拝金主義、前向きなエネルギーに乏しい。

私のライフラインの出来事:

1	11
2	12
3	13
4	14
5	15
6	16
7	17
8	18
9	19
10	20

c. 関心を認識する

さあ、自分を発見する楽しい時間がやってきました。

関心とは、あなたを本当にあなたたらしめる、大切な才能《キーリソース》です。

ライフラインで高いポイントを付けた出来事――あなたをワクワクさせた出来事を考えてみましょう。どんなコンテキスト（業界/テーマ/関心ある分野）で、それは起こったでしょうか？　どんな活動や行動がありましたか？　他に何かの共通点はありませんか？　それは特定の関心をあなたが持っていることを示していませんか？　ちなみに、その関心は、ライフ・ホイールの結果と一致しているでしょうか？

別の観点からも考えてみます。キャリア変更を決断した際の、ポイントを確認してみましょう。大体が高いポイントでしたか、それとも低いポイントでしたか？

キャリアの専門家によれば、「統制の内的所在（Internal Locus of Control）」が、キャリアへの満足度を高くするために必須のものだそうです。「統制の内的所在」とは、あなたのしたいことをあなた自身のためにあなたが決める、ということです。それは家族や友達、同僚、金銭、社会など外部の影響を受けないで行った決断です。自分自身をよく知れば、他人の期待に応じて行動したり、自分のキャリアを周囲のコントロールに委ねたりはしなくなります。

ダーシーが気付いたこと

私は、創造的で分析的なスキルを使っている時に、満足感を得てきました。職場の前向きな雰囲気の中で、それらのスキルを使って課題に取組み、解決策を提案・実行していたのです。私が心からの喜びを感じたのは、ゴールに向け必死に取り組んでいるプロジェクトチームに貢献していること、あるいは問題解決のために顧客と一緒に働いていることでした。最終的に共通するテーマは、多様性、そして継続的な学びであり、それはスキル向上においても自己成長においても同じでした。私の鍵となる動詞は、次のとおりです。開発する、創る、解決する、学ぶ、分析する、考えを実行する、人と交流する、人と一緒に働く。

d. スキルと能力を特定する

103ページのライフラインでの出来事リストに戻ってみて、高いポイントのものに丸を付けましょう。そして下の表を見てください。あなたが高いポイントで行った活動を表す言葉を、チェックしてください。正確に表している言葉がある事は少ないので、なるべく近いものをチェックします。そして縦の列ごとに、チェックした数を足していきます。

チェックはここから！

経理		広告		分析		組み立て		イベント企画／参加		議論	
監査		芸術的な創造性		独立した研究を実施		建築		社交クラブに所属		行動を起こす	
データ処理		コンセプト創り		疑問を解明		動物の飼育		子ども、高齢者の世話		人を指導	
作図／計算		美術作品の作成／発表		診断		乗り物の運転		調整		交渉	
棚卸		アイデア創造		科学博覧会やコンテスト		電気／機械の修理		相談		政治運動への参加	
オフィス管理		建物や家具のデザイン		調査		修復作業		共感		説得／影響力	
機械の操作		脚色		研究室での仕事		スケジュールを組む		主催		プロモーション	
コンピューター・プログラミング		編集		科学技術の出版物を読む		測量／操縦		インタビュー		自分のビジネスを運営	
購買		音楽やダンスの公演		科学技術の問題を解決		職業訓練コース履修		友人になる		販売	
記録／文字に起こす		美術関係のコース履修		専門分野の学習		問題解決の知識		宗教行事に参加		公の場でのスピーチ	
秘書的業務		写真撮影		科学のコース履修		機械／重機の運転		教える		監督／管理	
ビジネスコース履修		執筆／出版		技術的な記事の執筆／編集		屋外の仕事		ボランティア活動		経営コース履修	

列ごとに集計します

e.トップ10と好みの5つ

列ごとのチェックの合計を数えて、自分が最も行っている活動のトップ10を見てみましょう。

トップ10の活動

1

2

3

4

5

6

7

8

9

10

次に、点数に関係なく、自分が好きだと思う活動を5つ選びます。103ページのパートbで書いた出来事の描写を見てください。その中に自分が好きな活動はありますか？　その活動は、チェックが多く付いていたり、もっと時間をかけたいと思っていたりする活動ですか？

私の好きな活動5つ

1

2

3

4

5

f.あなたは何ができて、何をしたいか

「トップ10リスト」と「好きな活動5つのリスト」から、あなたが仕事で取り組むとき、ワクワクする（そして上手くできる）3〜5つの活動を、選びましょう。

する能力がありしたいと思う活動

1

2

3

4

5

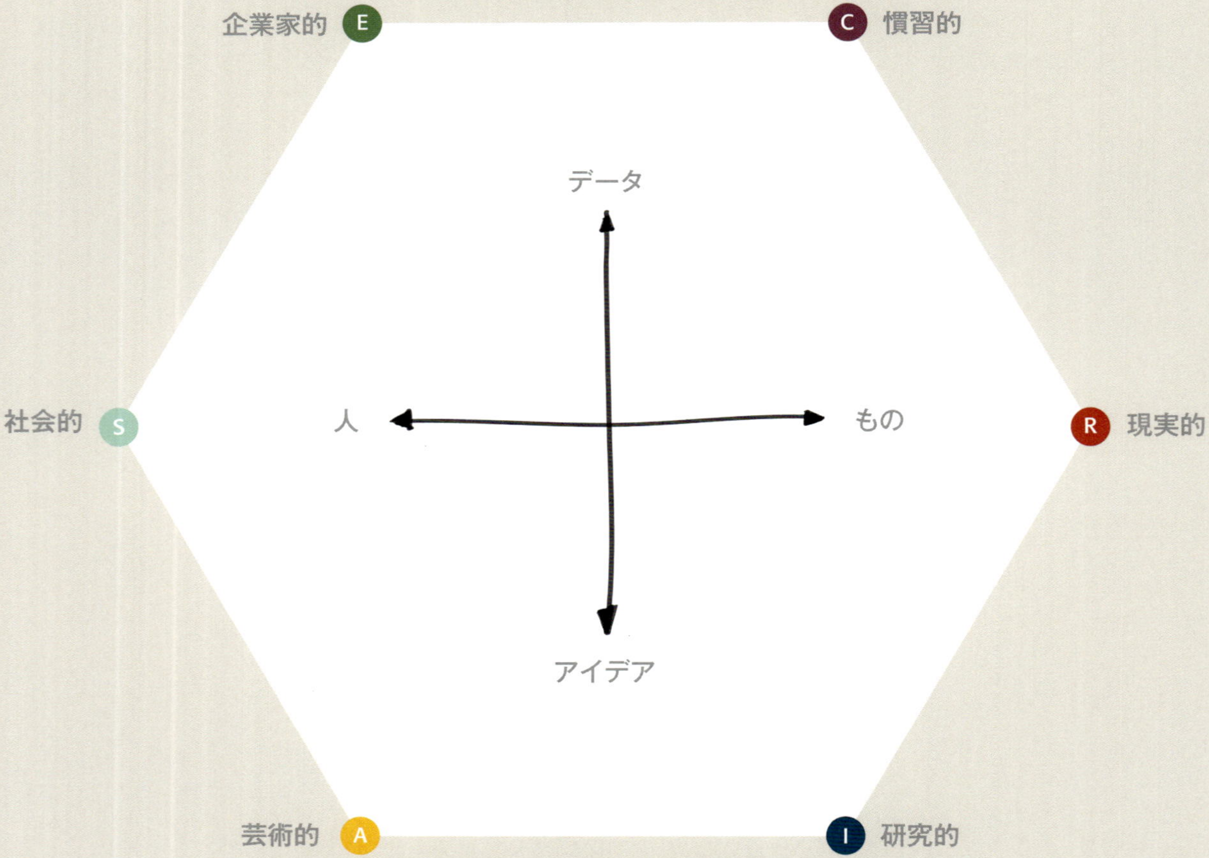
企業家的
E
C
慣習的
データ
社会的
S
人
もの
R
現実的
アイデア
芸術的
A
I
研究的

個性と環境

このエクササイズは、有名なキャリア評価法とカウンセリング手法に基づいています。どのように職業を選択すればいいかを、あなたの個性の観点からだけでなく、個性に調和する環境（もしくは調和しない環境）の観点から、理解するのに役立ちます（注11）。

ジョン・ホランドは、米国の心理学者で、彼の職業選択の理論は、数十年にわたり多くの研究者によって実証・評価されてきました。世界で最も広く用いられている職業興味検査や、アメリカ労働省の多様な職業分類や出版物などが、ホランドの理論に基づいて作られてきました。

数十年前にすでにホランドは、特定の職業への関心は個性の表れだという重要な考え——今日では分かりきったことと思われている考えを持っていました。言い換えれば、職業とは、その人の生き方を表しているということ。ばらばらの業務やスキルの組み合わせではなく、その人を取巻く環境全体なのです（注12）。

これが意味するのは、職業の選択を通じて、人は自分の個性を表現しているということです。友人、趣味、遊び、学校を選ぶときと同様です。同じように重要なのは、キャリアに満足できるかは、働き手の個性と職場の環境が適合しているかどうかにかかっているということです（「職場環境」は、第一に職場で働いている他の人々が作りだしています）。

職業への興味を個性の表現として理解できるように、ホランドは６つの異なる個性の傾向（タイプ）を定義しました。誰でもこの６つの性質を併せ持っているというのです。その中でも特定の傾向が、他のものより顕著に表れます（注13）。

ホランドの6つの傾向

S 社会的

人と協力して、
何かを知らせ、発展させ、
助け、世話をするのを好む。
人間関係/教育における能力。
現実的な職業や状況を避ける
傾向。

I 研究的

物理的、生物学的、文化的現象の
調査や研究を好む。
科学的/数学的能力。
企業家的な職業や
状況を避ける傾向。

A 芸術的

形があるもの、ないものを使い、
芸術作品や製品を
創り出すことを好む。
芸術的/言語的/音楽的能力。
組織化された活動や慣習的な
職業を避ける傾向。

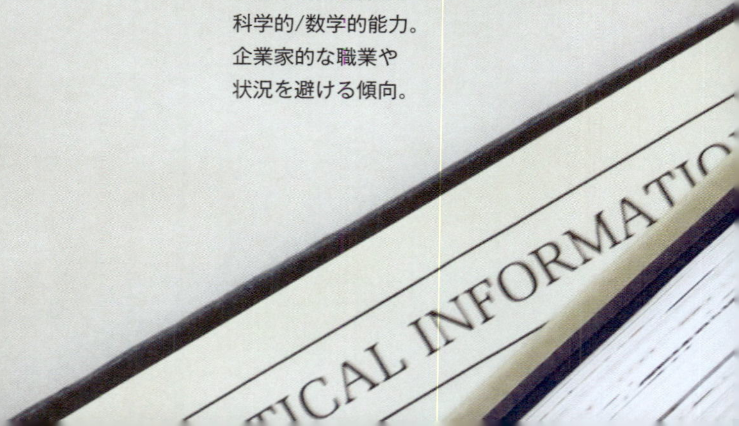

チームへのスピーチメモ

C 慣習的
組織化された状況で、データを
整理/処理することを好む。
事務/計算の能力。
曖昧で、自由で、組織化されて
いない職業や状況を避ける傾向。

E 企業家的
組織の目的や利益を達成するため、
人に影響を与え、率いていくことを好む。
リーダーシップ/説得の能力。
研究を必要とする職業や状況を
避ける傾向。

R 現実的
主に屋外で、道具、機械、動物と
一緒に働くことを好む。
機械を操作する能力/運動能力。
社会的な職業や状況を避ける傾向。

鍵となる個性の傾向を見つける

自分の個性の傾向について理解を深めるために、106ページの表を振り返ってください。6つの個性の傾向は、活動の列ごとに赤、青、黄色、水色、緑、紫に色分けされています。色はそれぞれ、6つの個性の傾向を表しています。

106ページの各列の合計を、113ページの六角形の中で対応する色の箇所に書いてください。もし青の言葉が他のものより多くチェックされていれば、あなたの一番強い個性は「研究的」となります。

6つの傾向を理解することは私たち自身をより理解することだけではなく、私たちが働くべき環境についても理解することにつながります。なぜなら環境は、まず人が集まってできているからです。

仕事の環境も個性と同じように、6つの傾向を使って説明できます。銀行は慣習的な労働環境の良い例です。一方で、広告代理店は芸術的な環境になります。キャリアへの満足度は、職場の環境と働き手の個性の相性に大きく依存しているのです。

例えば、芸術的な傾向を強く持った人は、銀行や保険会社のような慣習的な労働環境にいては不満が溜まってしまいます。同じように、慣習的な働き手は、広告代理店や劇場のような芸術的な職場では成功しないでしょう。「あなたはどんな人？（キーリソース）」という本質によって、「あなたならではの、大事な仕事や取り組み（キーアクティビティ）」は自ずと決まってくるのです。ですから、キーリソースとキーアクティビティは互いに調和すべきなのです。

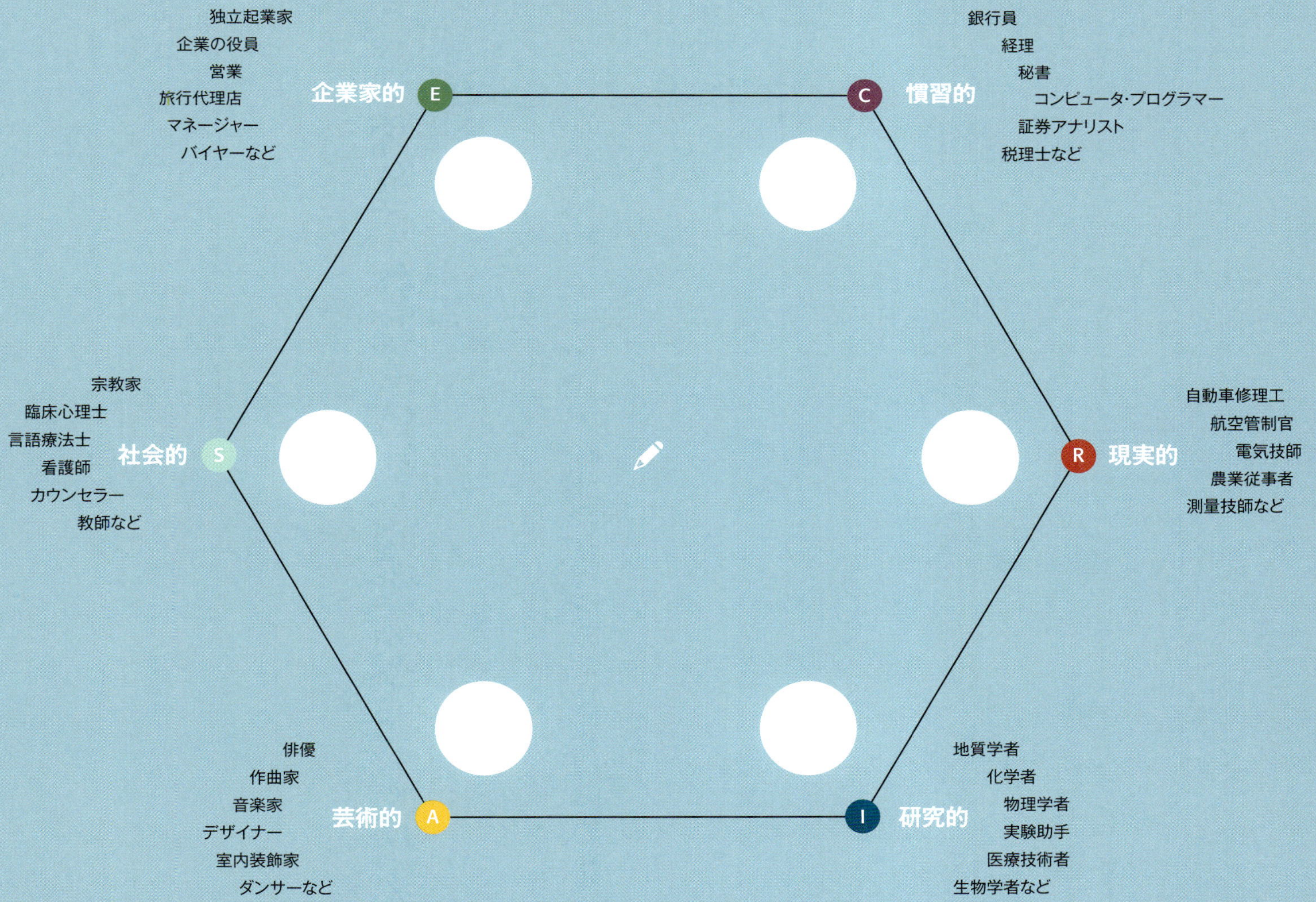
独立起業家
企業の役員
営業
旅行代理店
マネージャー
バイヤーなど
企業家的
E
C
慣習的
銀行員
経理
秘書
コンピュータ・プログラマー
証券アナリスト
税理士など
宗教家
臨床心理士
言語療法士
看護師
カウンセラー
教師など
社会的
S
R
現実的
自動車修理工
航空管制官
電気技師
農業従事者
測量技師など
俳優
作曲家
音楽家
デザイナー
室内装飾家
ダンサーなど
芸術的
A
I
研究的
地質学者
化学者
物理学者
実験助手
医療技術者
生物学者など

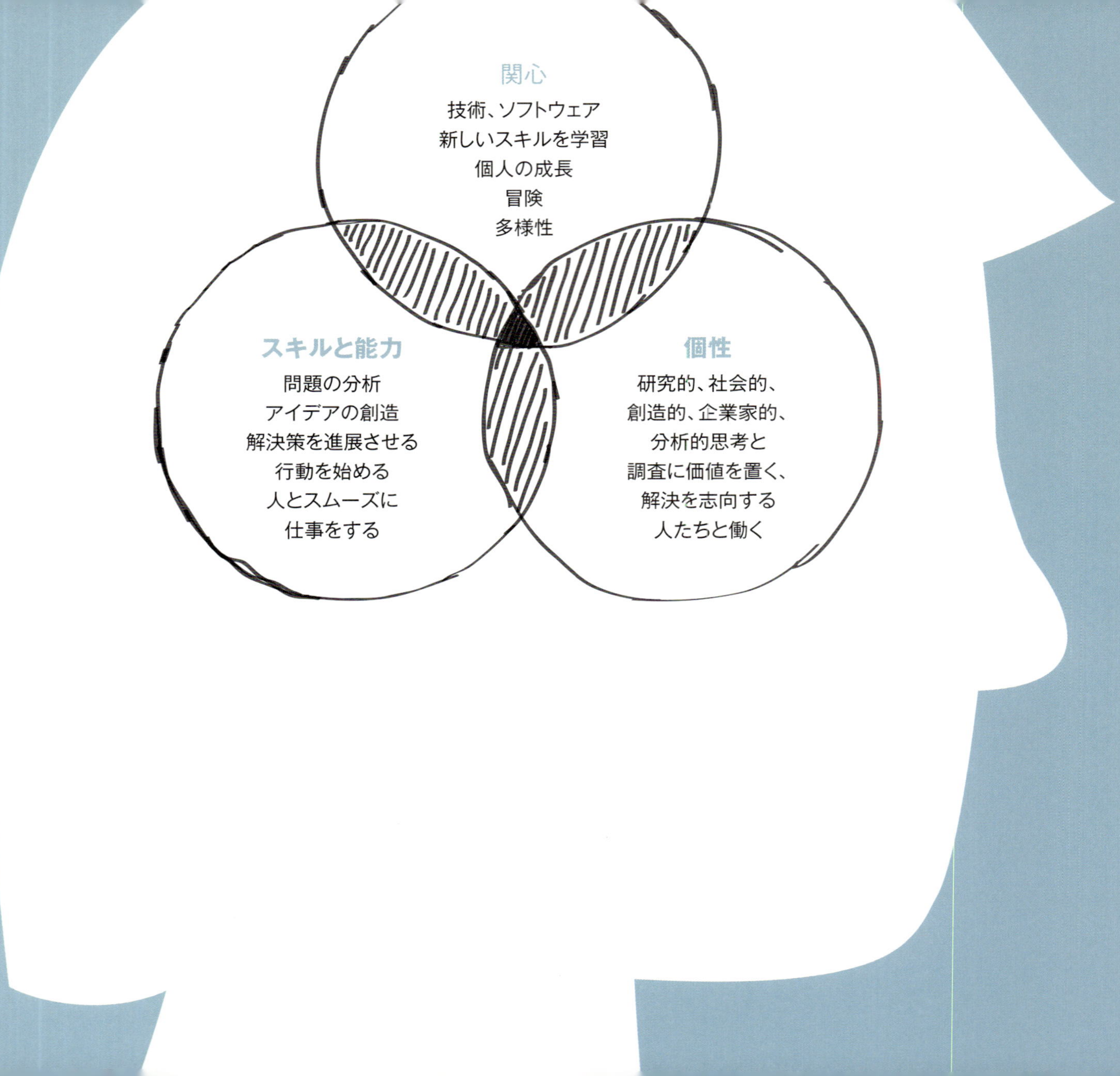
関心
技術、ソフトウェア
新しいスキルを学習
個人の成長
冒険
多様性
スキルと能力
問題の分析
アイデアの創造
解決策を進展させる
行動を始める
人とスムーズに
仕事をする
個性
研究的、社会的、
創造的、企業家的、
分析的思考と
調査に価値を置く、
解決を志向する
人たちと働く

「私は、問題を分析し、解決方法を生み出すことに
楽しみを感じていることが分かっていました。
でも重要なのは、私には、他の人と助け合いながら
働く能力、アイデアや解決策を生み出し、進展させ、
実行する能力があることです。」
ダーシー・ローブルズ

キーポイント:
あなた自身を知る

プロフィール:
コンピューター・プログラマー

働き手の個性と、働く環境が適合すれば、仕事の満足度は劇的に上がることがあると、ショーン・バッカスは言います。

ショーンは大学に在学中、コンピューター・プログラマーとして週に15〜20時間アルバイトをしていました。専攻しているコンピューターサイエンスの学科でも、アルバイトの仕事でも、彼のプログラミング技術は抜群。教授も彼の専門知識を賞賛し、進学し研究を続けることを勧めていました。バイト先の企業（ソフトウェア開発のクリーデンス・システムズ社）も彼の仕事を非常に気に入って、卒業後はフルタイムで働かないか勧誘していました。

ショーンはクリーデンス社での仕事を選びました。プログラミングの知識があり好きだった彼は、卒業してすぐにプログラマーとしてのキャリアをスタートできることにワクワクしていました。

しかし、クリーデンスで働き始めると、予想外にも、ショーンは疲れ切ってしまったのです。原因は自分と合わない会社に入社したことだと考え、彼はクリーデンスを退職。違うソフトウェア会社にプログラマーとして転職しましたが、その転職先の会社でもすぐに挫折し、3つ目の会社に移りました。そして3つ目の会社でも…、彼は同じような感情を抱き始めたのです。

この時点でショーンは、腹が立ち、絶望さえ感じました。なぜなら、卒業して2年のうちに彼は2つの仕事を辞め、すでに3つ目の会社にいたからです。彼は、大学で自分に合った専攻を選択したのか、わからなくなりました。途方に暮れて、彼はキャリアカウンセラーに助けを求めました。カウンセラーは新しい仕事を探すのではなく、ショーン・バッカスという人間を深く知ることに、数週間集中することを提案。彼はアドバイスに従いました。

カウンセラーが面談を行い、キャリア評価法を使って分析した結果、ショーンは社会的な傾向を強く持っていることがわかりました。彼は生まれつき、機械に明るい傾向をたまたま持ち合わせていましたが、本当は「人が好きな人」だったのです。大学時代のプログラミングのアルバイトは、彼の興味を満たし、ありがたい収入源でもありました。一方で大学では、仲間や教授と付き合うことで、彼の中にある社会的欲求が満たされていたのです。しかしフルタイムの従業員になって、コンピュータースクリーンの前で一日中座っていることで、彼は疲れ切って挫折感を感じるまでになったのです。

ショーンは気づきました。テクノロジーは好きだが、職場には付き合いが不足している。もっと人と関わることが必要だということです。彼は会社側と状況を話し合い、他の社員にコンピューター操作を教える仕事に異動させてもらいました。その結果、彼の仕事における満足感は、急上昇したのです。

ショーンは、「キーリソース」がパーソナル・ビジネスモデルの他のブロックに与える影響を学んだと言えます。

興味、スキル、能力

ショーンのコンピューターに関する関心、スキル、能力は本物です。そして、それは彼の重要なキーリソースです。その結果、彼がフルタイムでプログラミングの仕事をし、大変な挫折感を抱くまで、自己発見の必要性をほとんど感じずに済んでいたのです。しかし、自分と向き合ってみると、他にも重要な関心・スキル・能力があるとわかり、それは特にファシリテーションや、教えることだったのです。これらのキーアクティビティが、彼の仕事上の場面から全くなくなっていました。それが原因で不満や挫折感といった「ソフトな」コストを押し上げていたのです。

個性

ショーンは個性の一面である、慣習的な「プログラマー」の仕事を体験しました。しかしその体験を通じ、彼は慣習的傾向よりも社会的傾向がわずかに上回っていることに気づきました。プログラミングだけの仕事は、彼に挫折感を抱かせました。なぜなら、その仕事環境は彼の個性と余り調和していなかったからです。構造的、組織的なものを指向し、意外性を求めない慣習的な傾向は、彼の個性の一部でしかありません。

統制の内的所在

ショーンはコンピューターが好きでしたが、よく考えてプログラマーになった訳ではありませんでした。仲間、教授、同僚が、「プログラマーのショーン」を賞賛し肯定したので、その立場を作り上げてしまったのです。そして、まわりからの励ましとクリーデンス社からのフルタイムの仕事の誘いがあったとき、彼は自分自身と向き合うことなく、「プログラマー」の立場を選択してしまいました。その結果、ショーンは仕事に適応できなかったわけですが、彼は当初、その原因が自分自身の内部（キーリソースとキーアクティビティの不適合）にあるのではなく、外部（雇用者）にあると考えていたのです。

キーポイント:

第三者の視点から学ぶ

プロフィール:

医学部進学課程の学生

クシュブー・チャブリアは、自分一人で医学の道へ進むことを決めました。まわりの友人や家族から説得されたわけではありません。とりわけ彼女の両親は、もっと簡単な専攻で学部レベルを卒業し、妻や母親として落ち着くことを彼女に望んでいました。

こうした両親の思いに反して、クシュブーは何年も前から医師になることを心に決めていました。そしてカリフォルニア大学サンディエゴ校の医学部進学課程に入学。

その後、徐々に分かり始めたことですが、彼女がやりたいことと生まれつきの資質には、深刻なミスマッチがありました。しかしクシュブーの独立心と決断力により、それが見えなくなっていたのです。

最初の気づきは、研究職の仕事を得るために、有機化学の教授の面接を受けているときに、訪れました。教授から、6カ月間ワシントンD.C.で携わった、医療保険制度改革のインターンなどの学外経験について尋ねられたのですが、答え終わったときに教授から言われたことは、クシュブーにとって大きな衝撃でした。

「インターンの仕事について話すとき、あなたの目は輝いています。しかし、科学や研究について話すときは光っていないのです」と教授は指摘しました。「今、あなたが自分に合った場所にいるようには思えません」

クシュブーは、今まで大切に思い、楽しく取り組んできたこと――医療改革のインターン、学生の住居を確保する緊急支援プログラム、学生活動オフィスでのマーケティングの仕事――は、医師になるための勉強や医師になってからの活動とは、根本的に異なることに気づいたのです。

そしてついに、彼女の本質を明らかにする出来事が訪れました。友人と深夜のカフェで話していたときのことです。「君は本当にやりたいことをやっていない」「白衣を着る人じゃない」と、しつこいほどに言われたのです。

クシュブーは怒って席を立ちました。少し経って、そこまで腹が立ったのは、友人が正しいからだと彼女は気づきました。彼女の社会的・企業家的な傾向は、はるかに研究的傾向を上回っていたのです。

「自分が医者になる勉強にあまり興味を持っていなかったとは、まったく気づきませんでしたね」と彼女は言います。「まわりから私が本当に満足している活動が何か指摘してもらえなかったら、『自分はどんな人か』なんて、とても見つけられなかったでしょう」

今、クシュブーは人材開発を主専攻に、心理学を副専攻にして学んでいます。大学院では社会心理学とイノベーション、公共政策を組み合わせて研究するつもりです。

信頼できる人たちと過ごした時間

クシュブーの例は、キャリアの決定に、信頼できる第三者がどれだけ役立てるかを示しています。私たちは、信頼できる人と同じような役割を担えるように、本書『ビジネスモデルYOU』をデザインしてきました。しかし本当の「あなた」を見出す過程では、家族、友人、同僚やキャリアカウンセラーとの、対面での深い会話ほど、大切で役立つものはないでしょう。

あなたは
どんな人ですか?

ここに紹介するのは、

シンプルで強力な自己発見エクササイズです。

あなたの個性や性格を見抜く目のある、

友人、同僚、上司、親、その他の相手と一緒に

取り組んでください。

1. 122～123ページにある個人の資質が載っているリストを数枚コピーしてください。1枚目には、あなたが自分を最もよく表していると思う資質に丸を付けてください。12個ほど丸が付くまで続けてください。

2. 選んだ言葉があなたにとって何を意味しているか説明してください。例えば、「安定」を囲んだならば、「私は、常にプロジェクトが完全に終わるまで集中し、脇道にそれることはほとんどない」と書いてみてください。

3. 信頼できる友人、同僚、雇用者、家族、その他の相手に、丸が付いていないコピーを1枚、渡してください。そして、あなたを表している言葉に12個かそれ以上、丸を付けるようお願いしてください。エクササイズについては、次のように説明できます。

「まわりが私をどう見ているのか知りたいので、ご協力お願いします。あなたが見たときに、私をよく表していると思う言葉に、12個ぐらい丸を付けてもらえませんか？」

4. 丸を付けた言葉について、なぜそれを選んだのか相手の人と話し合ってみましょう。次のように会話を始めるといいかもしれません。

「『創造的』に丸を付けてもらいましたね。どんなところに私が創造的な面が出ていると思いますか？　創造的な資質は、私の中でどれくらい重要な位置にあると思いますか？　あなたが『創造的』に丸を付けた理由は、他にありますか？」

5. このエクササイズを、なるべく多くの信頼できる相手と、繰り返し行ってください。3、4回のセッションの後、いくつか共通するテーマが現れてくるはずです。まわりから見たあなたと自己認識は一致しましたか？　もしかしたら今まで気づかなかった自分の長所が見えてきたかもしれませんね（注14）！

抽象的な	つまらない	好奇心旺盛な	情緒的な
アカデミックな	視野が広い	顧客中心の	共感的な
素直な	実務的な	大胆な	エネルギッシュな
正確な	落ち着いている	決断力がある	起業家的な
目的達成型の	気苦労がない	敗北感がある	情熱的な
行動的な	注意深い	敬意を払っている	並外れている
順応性がある	気を遣う	反抗的な	ワクワクしている
冒険的な	手堅い	意図的な	功利主義的な
愛情豊かな	変わりやすい	頼もしい	経験を積んでいる
心配性の	カリスマ的な	依存している	専門性の高い
挑戦的な	騙されている	落ち込んでいる	断固とした
悲観的な	感情が入っていない	几帳面な	考えが柔軟な
高飛車な	ビジネスで認知されている	決意が固い	集中力がある
意欲的な	献身的な	勤勉な	滑稽な
相手を楽しませる	有能な	外交的な	寛容な
分析的な	競争できる	失望している	率直な
怒りっぽい	自信のある	規律を持っている	フレンドリーな
悩んでいる	当惑している	配慮できる	不満な
切望している	保守的な	軽蔑的な	楽しいことが好きな
真価を見抜く	一貫している	うろたえている	気前の良い
危惧している	満足を得ている	整理がされていない	優しい
雄弁な	冷静な	支配的な	暗い
気が引けている	協力的な	地に足がついている	感謝にみちた
断定的な	勇敢な	活力のある	しっかりしている
抜け目がない	狂気の	お気楽な	用心深い
権威がある	創造的な	効率的な	幸せを感じている
人見知りの	信頼できる	印象的な	助けになる

頼りない
非友好的な
恥ずかしがり屋の
ユーモアがある
ヒステリーの
理想主義の
想像力がある
短気な
衝動的な
優柔不断の
主体的な
無関心な
個人主義的な
勤勉な
影響力がある
主導権を発揮できる
革新的な
物事を見抜く
知的な
内省的な
嫉妬深い
楽しげな
一方的に決めつける
親切な
博識の
野心がない
朦朧としている

教養がある
活き活きしている
論理的な
途方に暮れている
愛情があふれている
忠実な
無味乾燥な
成熟している
秩序を重んじる
温和な
お茶目な
腰が低い
やる気がある
客観的な
開放的な
規則正しい
組織だった
社交的な
際立った
過敏な
パニックになっている
辛抱強い
イライラしている
洞察力がある
鋭敏な
忍耐強い
粘り強い

説得力がある
先駆的な
喜んでいる
前向きな
実践的な
実用主義の
的確な
予測できる
私生活を大事にする
前もって対処する
保護主義的な
プライドがある
時間を守る
探究的な
迅速な
物静かな
合理的な
反動的な
現実的な
思慮深い
拒絶された
信用できる
安心感がある
後悔している
憤慨している
控えめな
立ち直りが早い

リソースが豊富な
責任感がある
反応のいい
リスクを取る
悲しい
満足している
懐疑的な
冷笑的な
自信を持っている
自制心がある
自己批判ができる
自己動機付けができる
独立している
独善的な
敏感な
穏やかな
真面目な
内気な
分別がない
誠実な
鈍い
愛想が良い
洗練されている
残念がる
気の毒な
自発的な
安定している

刺激的な
単刀直入な
戦略的思考の
強い
成功している
不機嫌な
支えとなる
驚いている
疑い深い
共感的な
機転がきく
才能がある
話し好きの
タスク指向の
チームを作る
チームプレーヤーの
粘り強い
情け深い
はりつめている
理論的な
厚顔な
過敏な
徹底的な
こぎれいな
臆病な
懐の深い
伝統的な

得意げな
信じている
気取らない
理解がある
ユニークな
身動きが取れていない
疑念を持っている
独特な
復讐に燃えている
多才な
悪徳の
はつらつとしている
夢見がちな
温かい
慎重な
弱い
わがままな
機知に富んでいる
苦労性の

仕事を明らかにすることは、私たち自身も明らかにする

あなたにとって仕事とは何ですか？

私たちの多くは、今クビになりそうな状況でも、燃えつきそうだと感じる状況でもないかもしれません。こうした普段の状況では、失業前のアンドレアがそうであったように、キャリアについて考えることはほとんどないでしょう。このように流されていても、なんとかうまくキャリアを積んでいきますが、進む方向と速度は、自分の意図でなく惰性で決まりがちです。その場合でも、仕事が自分の核となっている関心に基づいたものである限りは、満足感を得ることができます。しかし、その満足感も、自分自身でキャリアを決めていかなければ、徐々に減ってしまうのです。

あなたが今、キャリアに流されているのかを見極めて、さらに深く自分を見つめ直す方法が１つあります。人生における現在の仕事の位置づけを確かめ、その位置づけが、あなたにとって仕事が持つ本当の意味に見合っているか考えてみるのです。

私たちには様々な面があるにも関わらず（いままで見てきたように！）、している仕事や所属している組織で自分自身を決めてしまいがちです。初対面の人と会話を始めるときに「お仕事は何ですか？」と聞くことからも、それがわかるでしょう。

結論から言えば、仕事の意味は、人それぞれ違います。仕事にどんな意味を見出しているかは、あなたの本質を、かなりの部分、表しているのです。

従来より、専門家は仕事には3つの意味合いがあると提唱しています

ジョブとしての仕事

ジョブとは、働き手がどこまで深く関わっているか、満足しているかは関係なく、給料を得るために働くことを意味しています。

ロイ・バウマイスターは『Meanings of Life』（人生の意味）という本で、この考え方について述べています。「ジョブは、あくまでも手段であり――つまり、主に何か他のために行われるものです」

それでもジョブは、スキルが活かされている、満足感を得ているなどの、価値ある感情を生み出すこともあります。働き手が人生の別の側面における意義を追求するための、生計を支える手段になり得ることは言うまでもありません。

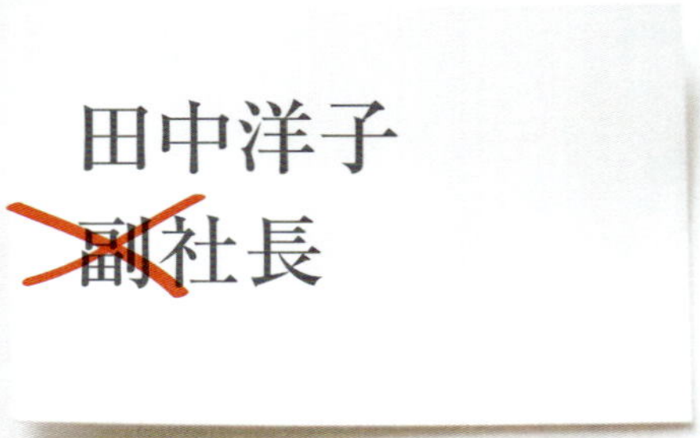

キャリアとしての仕事

成功、達成感、出世といった欲求により動機づけられるのが、キャリアとしての仕事です。出世第一主義者の仕事に取り組む姿勢は、仕事自体への強い愛着とは違う、とバウマイスターは言っています。「出世第一主義者にとっては、仕事することで得られる、自分への評価のほうが大切。それは自己を確立し、定義し、表現し、証明し、称賛を得るための手段なのです」キャリアとしての仕事は、人生の意味と充足感を得るための、重要な源となり得ます。

天職としての仕事

次ページのキャロルの事例でも取り上げるように、「天職《コーリング》」という言葉には、ある仕事をするために「声がかかる」という意味があります。どこから声がかかるかといえば、それは神や社会といった外部的な声の場合もありますし、また表現されたがっている才能といった内部的な声の場合もあります。それは「個人の責任、義務、または運命の感覚から」行われる、とバウマイスターは言っています。

これらの伝統的な３つの働く意味に加えて、私たちは４つ目を提唱します。それが「自己実現としての仕事」です。

自己実現としての仕事

強い興味に駆られ、情熱的と言える勢いで——取り組む仕事、それが自己実現としての仕事です。「天職」のように、圧倒的で、全てを包み込んでしまうような性質はありません。自己実現としての仕事をしている人は、給料、社会的承認、名声よりも、個人の関心を大事にして、型破りなキャリアを選ぶかもしれません。そのような仕事も、人生に意味をもたらす重要な源となり得るのです。

明らかに、上記の４つの仕事の分類は、相互に重なり合っています。どんな人の仕事も、各要素を少しずつ含んでいると言えるかもしれません。しかしながら、４つに分類することで、どのようにして仕事が私たちの人生に、多かれ少なかれ意味をもたらすのか、分かりやすくなるでしょう。

例えば、手段としての「ジョブ」を持つ人々は、家族、趣味、宗教など、仕事とは関係のない他の活動に人生の意味や満足を見出しているのかもしれません。

他方、「キャリア第一主義者」は、彼らの人生の意味の大半を、仕事に投資する傾向があります。世の中で成功し、より多くの名声、富、社会的評価を達成するために、家族や他の関心を犠牲にするかもしれません。

「天職」を得た人は、大きな精神的充足や仕事上での成功を経験するかもしれません。しかし一方で、一般的な勤め人には思いもよらないような喪失感に苦しんでいるかもしれません（素晴らしい芸術家や宣教師が思い浮かびます）。

最後に、「自己実現」のために働く人は、おそらく家族や他の関心を犠牲にせずに、仕事から多くの人生の意味を得るでしょう。

確信がもてない方へのメッセージ

税務専門弁護士のキャロルがすすり泣く姿を見て、ロバート・シモンズは同情しながらも、優しく微笑みました。シモンズ氏は心理療法士で、ロンドンを拠点とするキャリアカウンセラーです。

シモンズ氏はクライアントに、きっかけとなる次のような質問をしました。
「かつての自発的でワクワクしていた小さい頃のあなたは、どこへ行ってしまったのですか？」

後日、その場面について尋ねられたとき、シモンズ氏は、同じような場面を何年にもわたって、数えきれないほど見てきたと言いました。

キャロルやその他多くの人の情緒的な反応の背後には、何があるのでしょう？　シモンズ氏は、こう説明します。

…相談に来る人を苦しめている、典型的かつ、救いのない幻想があります。それは、いま人生で何をしているべきかについて、大学を卒業したり、結婚したり、家を買ったり、法律事務所のトップになったりするずっと前から、正しく導かれてきたはずだという考えなのです（注15）。

自分の間違いや愚かさのために､「天職」を逃してしまった。そんな後悔の念に、クライアントがいかに苦しめられているかについて、シモンズ氏の説明は続きます。
言い換えれば、人びとは自分が卓越し、かつ満たされるような、特別なキャリアパスを当然に進むことになっていたと思いこんでいるのです。しかしながら、そういうキャリアを簡単に見つけることはできません。

この考えは、どこから出てきたのでしょうか？

「天職」という概念は、中世に始まります。キリスト教の教義に身を捧げるよう、天からの使命が突然降りてくることに由来しています。シモンズ氏によれば、この概念は宗教から離れて現在まで残り、今日の働く人々の問題の原因となっていると言います。シモンズ氏の面談者は、この考えについて、次のように述べています。

…私たちは人生の意味が、ある時点で分かりやすく決定的なかたちで啓示され、永遠に、混乱、嫉妬、後悔の感情から免れられるという期待に取りつかれているのです（注16）。

多くの人が真の「天職」を見つけていないだけでなく､自分に最も合う仕事をしていないと感じています。そのような懸念にどう対応すればいいでしょうか？
キャリアカウンセラーとして、シモンズ氏は人間性心理学者のアブラハム・マズローの考えを示してくれています。

普通、私たちは自分たちが何を望んでいるか
わかりません。
望んでいることがわかるのは稀で、
もしわかれば心理学上の大変な業績となります。
— アブラハム・マズロー

あなたが一番に取り組んでいることは何ですか？

私たちの多くは、自分が本当にやりたいことがわからないのは例外ではなく、普通だと知ると安心します。

多くの人は、次のような点に気づくと落ち着くのです。

- 仕事には、唯一の正しい「意味」はない。
- 人生には、充足感や達成感の糧となるものは色々あり、それは仕事に関係あることも、ないこともある。
- 仕事に対する考え方や、場合によってはある仕事をするための能力は、歳とともに変化する。
- あなたが望まない限り、
  仕事はあなたを定義するものではない。

私たちは皆、どこまで自分のキャリアを伸ばしていくか、自分で範囲を決定します。そこには正解も間違いもありません。しかしレイル・ラウンズは次のように提案し、多くの人がそれを説得力があると感じています(注17)。それは、「どんな仕事をしていますか？」という使い古された表現ではなく、もっと自己認識を尊重する、魅力的な質問に変えたらどうかということです。たとえば次のような質問です。「あなたが一番に取り組んでいることは何ですか？」(注17)

- 「仕事はあなたの人生で、
  どんな役割を担っていますか？」
- 「あなたにとって仕事は、ジョブ、キャリア、
  天職、それとも自己実現ですか？
  それらのコンビネーションですか？」
- 「今の仕事が人生に占めている位置は、
  あなたが信ずる人生の本当の意味に
  見合っていますか？」

ちょっと確認：
私たちが来た道

これまで私たちは、ビジネスモデル思考について論じてきました。

財務的に存続するための基本原則と、営利·非営利団体、行政組織が生計を立てる仕組みを堅持しなければならない理由について考えてきました。

また組織、および個人が──社会的、経済的、技術的変化に応じて自らを作り直す上で、どのようにビジネスモデル思考が役立つかについて見てきました。

さらに、あなたのパーソナル·ビジネスモデルを説明するために、どのようにキャンバスを活用できるかについても触れました。

本章では、あなたは仕事以外の、いくつもの重要な役割、核となる興味、

スキルと満足できる活動、鍵となる個性の傾向、職場環境が持っている「個性」、

自己発見プロセスにおける信頼できる他者との関係の重要性、

人生における仕事の意味を見直してきました。

私たちがこれから向かうところ

それではいよいよ、組織、個人双方にとっての、

ビジネスモデルを支える根本的な質問に取り組むことにしましょう。

シンプルであるにも関わらず、答えるのが非常に難しい、答えがいのある質問です。

それは──「あなたの目的はなんですか?」

CHAPTER 5

キャリアの目的を明確にする

キーポイント:

目的はスキルに勝る

プロフィール:

歴史研究者

エイドリアン・ヘインズは、歴史が持っている力を信じています。彼は中世史の修士号を持っていて、就職してからのほとんどの年月、博物館の中で、あるいは博物館のために働いてきました。5年前、かねて夢だった仕事に就くために、アムステルダム郊外に転居しました。その仕事は、博物館の学芸員や図書館員の協力の下、歴史書の新刊を企画制作する出版社の業務を補佐するものでした。しかし時が経つにつれ、2つの理由で、エイドリアンは自分のキャリアをもう一回、作り直す必要を感じるようになったのです。

1つ目は、彼の雇い主がデジタル出版とソーシャルメディアにひどく抵抗し、それに対する不満が高じていったこと。2つ目は、彼の妻が都市での生活を懐かしみ、都市部に戻ることを望んだことです。

エイドリアンは、国立の大きな図書館が「デジタル化プロジェクトリーダー」を募集していることを知りました。その仕事は、自分の経歴と興味にぴったりだと感じたのですが、同時に自分には、官僚的な大組織で働くために必要なマネジメントスキルが足りないとも考えました。そこで彼は、個人のビジネスモデルを見直すために『ビジネスモデルYOU』のフォーラムメンバー、マーク・ニューウェンホーゼンに相談したのです。

マークの当初の見解は、エイドリアンは細かいことを気にしすぎているということでした。特に、仕事の遂行に必要とされる専門スキルや管理スキルが自分にあるかどうかという心配です。それでマークは、「目的」と「与える価値」を集中して考えるよう、エイドリアンに提案したのです。

じっくり考えた後、エイドリアンは自分の「与える価値」をはっきり認識しました。「ほこりまみれの博物館や図書館の壁から歴史を救い、誰でもそれを楽しむことができる場所に置くこと」──それが彼の「与える価値」であり、真の情熱なのです。気づきを得たおかげで、彼はなぜ現在の雇い主に不満を抱いているのか理解できるようになりました。また歴史的なものを、出版物や施設だけでなく、デジタルメディアを使って鑑賞できるようにしたいという信念を、明確に論じられるようになりました。

エイドリアンは新しい職に応募する準備を開始。マークが彼に強く勧めたのは、スキルよりも彼の目的が、図書館のニーズに合致しているときちんと伝えることでした。キャンバスを使うことで、エイドリアンは他の気づきも得ました。新しく明確になった目的により、いくつもの可能性が明らかになったのです。例えば、エイドリアンのこれまでの顧客のほとんどは博物館でしたから、その人脈を通じて、中規模博物館の館長や、大きな博物館の学芸員としての仕事を探すこともできるということです。

ちょうどこの本が印刷される頃に、エイドリアンの新しい仕事の面接が予定されています。いかなる道に進むとしても、「目的」はスキルに勝る——そのことを彼はすでに、理解しているのです。

「キャリアを考えるときの出発点を、
スキルではなく、『与える価値』や『目的』としたとき
—仕事の選択肢がいくつも現れることは、
本当に驚きです」

4. 旅先で予定しているアクティビティーは、出発前にどの程度計画しますか？

- ○ 事前に計画することはない
- ○ あまり事前には計画しない
- ○ ある程度のアクティビティーは事前に計画する
- ● ほとんどのアクティビティーを事前に計画する

5. 出発前にアクティビティーを計画する場合、オンラインメディアをどの程度活用していますか？

- ○ オンラインメディアは活用しない
- ○ あまりオンラインメディアは活用しない
- ○ ある程度の情報をオンラインメディアで入手する
- ○ ほとんどの情報をオンラインメディアで入手する

6. 海外旅行の際、ショッピングに関して出発前にどんな情報を準備していますか？（複数回答可）

- □ ショッピングをする場所の確認
- □ ショップリストの用意
- □ 買い物リストの用意
- □ 在庫の確認・予約

キーポイント：

仕事の目的は、自分ではなく他人に奉仕すること

プロフィール：

起業家

私が設立した会社は、市場参入リサーチとコンサルティング業務を、アジア、特に日本市場に参入したい会社を対象に、提供していました。激務をこなして6年以上経ったとき、私たちは数百万ドルの買収提案を受け入れたのです。これは、私にとってまったく初めての経験でした。起業した時は、会社を売る人がいることすら知らなかったほどですから…。

いずれにしても、その売却益で私は、借入金を返済して3つの抵当をはずし、子ども達の学資を最大限確保。家族を長い旅行に連れて行き、不労所得を得るため残りを投資しました。しかし、他の人と同じように、私も大きな問題に直面しました。残りの人生をどう過ごせばいいのでしょうか？

生活のために働く必要性から解放されていたからこそ、その問題はより切実になってきました。そして答えを探究するにつれ、仕事は、経済的自立を達成するためのもの以上だという認識が明確になってきたのです。

成功した起業家の多くは、同じような気持ちを抱くと思います。私は、起業家と話す機会が多いのですが、彼らは総じて、いくつもの会社を1ドルから4000万ドルまでの様々な金額で売却した経験があります。しかし誰一人として、仕事の第一の目的が「経済的自立を達成する」ことだとは言いませんでした。

一攫千金狙いの人は、困難に直面したとき情熱を
維持することができません。成功している組織は、
「顧客」に「与える価値」に、あたかも
レーザーを照射するように注力しています。
起業家の関心事項は、自分ではありません。
まわりの人にどう効果的に奉仕するか。
それが起業家精神なのです。

名前 カール・ジェイムズ

あなたの人生に目的の旗を掲げる!

CHAPTER 2で使った喩えを思い出してみましょう。ビジネスモデルは設計図に似ています。設計図が建物を建築する際の指針であるように、ビジネスモデルはビジネスを構築するための指針になります。それでは、この類似点をもっと詳しく見ていきましょう。

建築家は設計図を作成するために、建設する建物の「目的」を理解しなければなりません。

例えば、建築を依頼したのが医者や歯科医であれば、建物には待合室、診察室、多くの流し、そしてトイレが必要ですし、またレントゲンのような重い設備を壁に設置できるように設計する必要もあります。

建物と同様に、組織やビジネスをゼロから作る場合にも、「目的」は重要です。組織の目的は、ビジネスモデルをデザインする際の指針となります。目的は、極めて重要でありながら「キャンバス上にない」要素です。またデザインする際の重大な制約事項でもあります。というのも、どんな組織も（建物も）、全ての人の全ての目的にかなうようにデザインすることはできないからです。

同じことは個人《パーソナル》のビジネスモデルについても言えます。パーソナル・ビジネスモデルを修正したり再構築したりする場合、最初に基礎となっている目的を明確にする必要があります。「目的」をあなた個人のビジネスモデルを導く「一段上にあるもの」と考えてください。目的の旗を高く掲げましょう！

「もしあなたが、目的にかなうよう仕事を見直すことがないなら、それは問題をただ別の机に移すようなものです」
──ブルース・ヘイゼン

反対に、目的と仕事が合っていれば、仕事をスタートしたとたん飛ばして行けますし──満足度は急上昇します。

どこから始めるか

前ページのカール・ジェイムズは、起業家精神とは人の役に立つことだと言っていました。それは私たちの人生にも言えることです。何にも勝る人生の目的は、人を助けることにあるのです。成功した起業家なら知っているように、たとえ最初の目的が富を築くことだったとしても、人を助けるための商品やサービスを売ることだけが成功につながるのです。

しかしどうすれば、何にも勝る人生の目的をはっきりと見分け、形づくることができるのでしょうか？　次の3つの試みは、この重要な質問に答えるためのヒントになります。

目的《もくてき》
purpose

カバーストーリー《あなた自身の特集記事》YOUです!

このエクササイズはデービッド・シベットによって作られました(注18)。
想像力を使って、あなたの人生の目的と、
核となる関心事をつなげるためのエクササイズです。

今から2年後を想像してください。
大きなメディアが、あなたの成功物語を取り上げています。
あなたの言葉が引用され、微笑んでいる写真が載っています。
素晴らしいですね！

1. 発信元メディアの名前は何ですか？　あなたが出たいと思う実際の雑誌、新聞、あるいはテレビ番組を選んでください。
2. 何についての特集ですか？　なぜ取り上げられたのでしょうか？
3. インタビューからの引用をいくつか書きとめて下さい。さらに、引用や囲み記事(解説記事)、写真を雑誌から切り取って、コラージュを作成してもよいでしょう。

このエクササイズは「特集記事」を共有し、話し合うことができる３人以上のグループがある時に、特に有効です。

プロフィール:
教師

名前
メーガン・レイシー

エクササイズ:
カバーストーリーYOU

1. 私はナショナル・パブリック・ラジオの番組『フレッシュエア』の、テリー・グロスからインタビューを受けることになりました。地方の高校で始めた、放課後のランニングプログラムについて話すためです。その取組みは、授業の出席率を上げ、生徒のやる気を改善することを目的に始まりました。

2. 最初は、放課後に毎日、生徒数人と陸上トラックで会うだけというシンプルな活動だったのですが、そのうちレースに出られるように練習をスタート。次第に、より多くの生徒が加わり、より多くの要素を練習プログラムに加えていきました。生徒は自発的にレースに参加、そのうち地域の人も移動や練習を手伝ってくれるようになりました。学校側と協力し、このプログラムから得た教訓を、授業のコア・カリキュラムに取り入れていきました。

   生徒の出席率や、やる気は改善。州の試験では予想外に良い点数を出せて、学校の卒業率も上がりました。その結果、他の地区でもこのプログラムが採用されていったのです。

3. ナショナル・パブリック・ラジオ：最初はわずか数人の生徒で始めたのですね。どのように生徒を集めたのですか？

   セッションに参加したら、誰にでもレースへの出場料を払うと、私が生徒に約束したのですね。子ども達はお金を出してもらえるとなると、言うことを聞くのです。

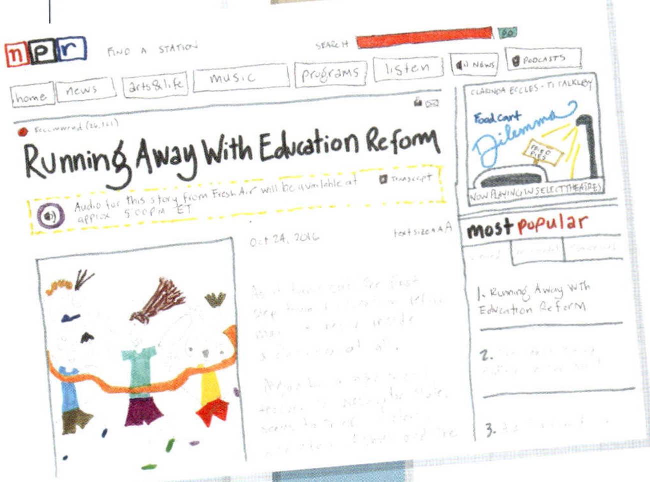

「生徒たちにとって大きかったのは、学校で目に見える結果が現れたことです。大学進学や就職は、とても遠い目標に感じられるので、それに向けて準備するより、近い目標が必要だったのです」
「生徒は問題を起こさなくなりました。健康になり、地域とのつながりも深め、授業を身近に感じ始めました」

3つの質問

エクササイズをもう一つ紹介しましょう。
ペアや小グループで行うと効果的です。
考えを書きとめてから、共有し、話し合いましょう。

1. あなたが充実していると思えた時のことを思い出してみてください（個別の出来事を思い出すため99ページのライフラインを探るエクササイズに戻りましょう）。その時、あなたは何をしていましたか？ その活動をすることで、なぜそれほど満たされたように感じたのでしょうか？ その感情についてできるだけ詳しく書いてください。

2. 目標となる人を１人以上書いてください。あなたが尊敬している人は誰ですか？ それはなぜでしょうか？　その人を表現する言葉をいくつか書いてください。あるフォーラムメンバーはネルソン・マンデラを挙げました。エクササイズで彼女が書いたのは、親切、逆境に直面したときの忍耐力、評価と地位でした。これらの言葉は、彼女が他の人に感じるのと同様、自分自身に対しても価値を感じるもののヒントになります。

3. あなたは、どのような人として友達に覚えていてもらいたいですか？　あなたがこの世を去った後、友達からどのように言われたいか考えてください。

プロフィール:
テクニカル・トレーナー

名前 レナート・ノブレ

143

エクササイズ:
3つの質問

質問1:
ソフトウェア会社に勤めていた時、私はとても充実していました。特に充実を感じたのは、同僚やパートナーのトレーニングをしていた時です。自分の知っていることを教えることができ、同時に彼らの経験からも学ぶことができました。私たちは皆、お互いの人生に影響を与え合っているのだと思います。

質問2:
私のロールモデルは、ジウダ・アルンスです。彼女はブラジルの小児科医で、2010年のハイチ地震で亡くなりました。親切で、仲間を大切にし、社会問題に献身的に取り組んだことで知られています。乳幼児の死亡、栄養失調、家庭内暴力などをなくすために闘いました。

質問3:
友人に覚えていてもらいたいことは、私はユーモアのセンスがあって、献身的、情熱的で、誠実な人だということです。更に、家族を愛した人として。あるいは、自分にも人にも感情を自由に表現することを許した人として。私生活と仕事に新しい意味を見出して、再スタートする勇気を持った人として。

あなたの真新しい生活

ある日、あなたは
法的文書が入った厚い封筒を渡され、驚きます。
裕福で、風変わりなラルフおじさんが亡くなり、
あなたに14億円を遺したのです。しかし、
お金を受け取るには、
2つの条件を満たさなければいけません。

ラルフおじさんはあなたに、今の仕事を辞め、それぞれに1年かかる、2つの課題に取り組むことを要求しています。この2年間は、毎月の生活費に加え、旅行や教育のような、課題達成に関わる経費も受け取ることができます。1つ目の課題を完了した時点で、一時金として7億円と信託基金が保有する7億円を受けとりますが、信託基金の7億円は、2つ目の課題が完了した時点で外部に譲渡されることになります。

1. 1年目、第1の課題
*今年1年間は、新しいことを学習して過ごしてください。*短期大学、大学のような正規教育プログラムには通学しなくてもかまいません。単に新しい分野を学ぶことに時間とエネルギーを使ってください。あなたは何を学びたいですか？　どんな成長を遂げたいでしょうか？

2. 2年目、第2の課題
*支援する社会的活動《コーズ》を見つけてください。*1年間で、慈善行為（あなたの近隣/都市/国/世界/環境などで）を支援するようなプロジェクトを調査したり、実際に参加したりして、本当に関心がある目的やプロジェクトを選びます。2年目の終わりには、あなたが選んだプロジェクトに信託基金にある7億円を寄贈しなければなりません。あなたは、どんなプロジェクトを選ぶでしょうか？

ーエピローグー

3年目に、あなたの新しいライフスタイルがスタート
2年間のタスクを終えたあなたは、どんなライフスタイルを楽しむのでしょう？　まだ7億円あります。どこに住むでしょうか？　誰と？　どのように時間を過ごしますか？　どんな活動を追求するでしょうか？　何を達成するために努力するでしょうか？

プロフィール:
探求者

エクササイズ:
真新しい生活

私が学習する新しいこと

スワミ・ラマの著作『Living With the Himalayan Masters』（ヒマラヤの師匠とともに生きる）に書かれている自己啓発のやり方を生活に取り入れます。テーマとなるメッセージは、「世界をより身近に感じよう、そして精神性の道の上に自分を置こう」

私が探究しようと思うことは、

- ポルトガル語を勉強、ブラジルへ長い旅行をする。
- 数年間、あたためているたくさんのアイデアを本の形にして、販売する方法を学ぶ。
- マルチメディア作家になるために必要なスキルを学習。映像、ウェブ、ブログ設計/コンテンツ戦略、および音楽録音。
- 健康改善：週に3日サイクリング、ヨガとダンス、食事を節制。

選択した目的

支援する社会的活動を探すために、自分に繰り返し尋ねた問いがあります。

それは「現実の生活に戻ってしまいかねない物質的存在としての自分を、どうしたら捨てることができるか?」ということです。答えを探している時、ジッドゥ・クリシュナムルティに出会いました。彼は東洋と西洋の双方の知的伝統を学んだインドの哲学者、そして教育者です。クリシュナムルティの人間関係と社会変革に関するメッセージが、より多くの人に伝わればいいと、私は考えました。そこでクリシュナムルティ財団とともに働き、財団を支援することで、クリシュナムルティの考えを広げる手伝いをしたいと思うに至りました。

私のこれからの生活

3年後、私はリオデジャネイロのサンタテレサ地区に購入した小さな家に住んでいます。すでにポルトガル語は十分に上達。アメリカに市場を求める新興ブラジル企業と付き合えるほどになっています。デジタル作家としてネット上で発信する専門スキルに加えて、ポルトガル語ができるので、そうした企業のビジネスパートナーとして活躍しているのです。また私はブラジル人の貧困層が自立し、生活環境を改善するための資金とスキルを得られるように、ボランティアで支援をしています。

名前 ハンク・バイイントン

これまでキャリアの目的を明確にするための、素地をつくる作業に
取り組んできました。いよいよ今度は、次の制作に入ります。それは…、

目的宣言文《パーパス・ステートメント》

これまでのエクササイズのように、自分が経済的に自立していることを想像してください。そして自分が選んだとおりの生活ができると考えてください。この後、書き込むための3つの枠を設けますので、そこに新しい生活について考えたことを書き入れていきましょう。

活動

最も楽しみながら注力できる、3～4つの活動について、述べてください。

人

一緒に時間を過ごしたい人やグループについて、述べてください。

支援

あなたは、どのように人を助けているでしょうか？

具体的にどのように役に立っているか、動詞を3 ～ 4つ使って、説明してください。

文法的に正しいとは言えませんが、次の文章を、あなたの「目的宣言文」のラフ案として使ってください。

「私はこの**活動**を通して、この**人**を**助けたい**」

146、147ページの枠の中に書いた動詞および名詞を、表に書き入れてください。好きな動詞および名詞から、まず書いてみましょう！

私は	この活動（動詞）を通して	この人（名詞）を、	助けたい（動詞）

さあ､「目的宣言文」ができました！

ちゃんとした意味を成していないかもしれませんが、すでに強力な文章をつくり上げたのです。この文章は、あなたにとって本物、かつ満足できる目的そのものではないにしろ、それに近いものを示しています。ですから最初の草案だと考えてください。まだこの文に手を加えたり、言葉を変えたりしたいでしょうが、あなたは、すでに核となるアイデアをつかんだのです。

『ビジネスモデルYOU』のあるフォーラムメンバーは、
どのように「目的宣言文」を作成したでしょうか？　ご紹介しましょう。

私は	この活動（動詞）を通して	この人（名詞）を、	助けたい（動詞）
	作ることで	不安定な専門職の人を	励ましたい
	組織することで	最近の卒業生を	助けたい
	育成・支援することで	若いアーティストを	共感したい
	分かち合うことで	私のヒーローたちを	覚えていたい

「目的宣言文」を、仕事の視点から筋道の立ったものにするために、彼女は表の「人」の列からパートナー（彼女の最優先事項）を省きました。彼女の文章は、完全な意味を成してはいませんでしたが、土台となるメッセージは明白で力強いものでした。そして、彼女は次のように「目的宣言文」を作成したのです。

私は、
励まし、支援することで、
不安定な専門職に就いている人や
若いアーティストが
より良い生活ができる
ように手助けしたい。

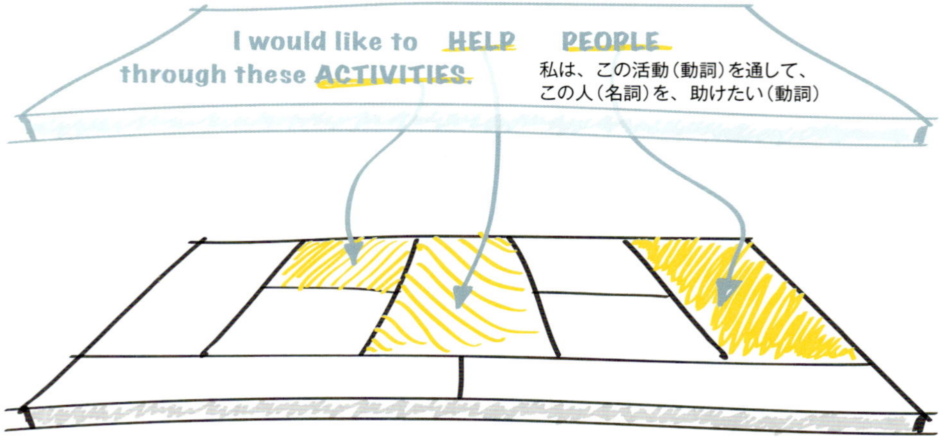
I would like to HELP PEOPLE
through these ACTIVITIES.
私は、この活動（動詞）を通して、
この人（名詞）を、助けたい（動詞）

目的をキャンバスに取り入れる

あなたは「目的宣言文」と、
パーソナル・キャンバスの共通点に気づいたのではないでしょうか。

「助ける」とは「与える価値」、
「人」は「顧客（と同僚）」。そして、
「活動」は「キーアクティビティ」を意味しています。

パーソナル・ビジネスモデルは、
あなたが「与える価値」を「顧客」に届けるための「活動」を土台として
成り立っています。
ですから、こうした要素を含んだ目的宣言文を作ることは、
パーソナル・ビジネスモデルを作り上げるための、大切な一歩になるのです。

「大きな目標を発見できないでいる人は、とりあえず、目の前にある自分がやるべきことに、自分の思いを集中して向けるべきです。その作業がいかに小さなものに見えようと、問題ではありません。そうやって目の前にあるやるべきことを完璧にやり遂げるよう努力することで、集中力と自己コントロール能力は確実に磨かれます。そして、それらの能力が十分に磨き上げられたとき、達成が不可能なものは何ひとつなくなります」

――ジェームズ・アレン、『「原因」と「結果」の法則』

目的を明確にすることができない場合

目的の明確化は難しいかもしれません。ただ、それができないのは、あなただけではないのです。

自分の夢を見つけ、それを追っていく勇気を持っている人はたった3%だ、とある著者が言っています（注19）。

ですから目的を明確にできなくても、どうぞ安心してください。あなたは今までどおり、深く仕事に打ち込むことによって、素晴らしい達成感と充足感を得られます。

常に変わり続ける「目的宣言文」

本書のフォーラムメンバーは、このエクササイズを行っているうちに、「目的宣言文」の結果が数カ月以内に変化していくことを、何度となく経験しました。

時間とともに目的が（さまざまな理由により）変わっていくと知っておくことは、とても意味があります。目的が変わる、1つの理由は、ライフステージが変わるからです。たとえば20歳で考えることは、55歳で考えることとは全く異なりますよね。20歳では、キャリアの確立、恋人探しが重大な関心事項ですが、55歳では、子どもが大人になるのを見守ることや、生きた証を残すことなどが、それに代わります。また結婚、離婚、誕生、死、新しい仕事、病気などの大きな出来事がきっかけで、人生の目的が変わることもあります。そして最後に、私たちの核となる関心事や能力は時間が経っても、あまり変わらないのですが――それらを表現する方法は変わるかもしれないということです。

フォーラムメンバーのローレンス・クウェク・スウェ・センはこう言っています。

「目的宣言文を書くことは、永遠に続く、終わりのない作業です」。

彼は、いま使っている「目的宣言文」をファイル管理し、ライフステージや今後の見通しに変化があるたびに、更新することを勧めています。

目標《ゴール》 対 目的《パーパス》

私たちは生きる上でよく目標を立てます。短期や中長期、様々です。しかし、どれだけの人が真の「目的」を得ているでしょうか？

目標は、目的とは異なります。起業家の松本大は、その違いを組織に訓示する際、次のように説明しています（注20）。「北極ではなく、北極星を目指して進め」

松本がいう「北極星」とは、組織のビジョンを表現したもの。常に全員の努力を束ねていく指針となるものです。一方、「北極」は達成されなければならない目標を表します。いったん目標に到達すると、また新しい目標が設定され、それが繰り返されます。

スティーヴン・シャピロは『Goal-Free Living』（ゴールのない生活）、という挑発的なタイトルの本の中で、個人に対して同じ考え方を使っています。「地図ではなく方位磁針を使用せよ」、そして「目的を持ってブラブラ歩け」と、シャピロは読者に勧めています。目的を持つとは、特定の目的地を求めて努力することではなく、方向感覚を持つことです。方向感覚を持てば、前進するにしたがって新しい情報を集められます。そして新しい情報に基づいて、向かっている方向が正しいかどうかを確認できるようになるのです。

『ビジネスモデルYOU』共同制作者《フォーラムメンバー》は、それぞれ目的の旗を掲げています!

我希望可以帮助各专业人士、企业家以及学生追求合资企业与各项目，通过明确、优化及强化他们实现目标的努力，成为他们的顾问、教练或合作者。

郭瑞承

ローレンス・クウェク・スウェ・セン
マレーシア

Me gustaría ayudar a profesionales cualificados con problemas de empleabilidad, con pocos conocimientos empresariales y habilidades de gestión, a repensar su futura vida profesional y reiniciar su carrera.

FERNANDO SÁENZ-MARRERO

フェルナンド・サエンス・マッレーロ
スペイン

To open dialogue to expand a person's capacity to love and be lovable.

Kat

カット・スミス
アメリカ

I will help the {UNDERVALUED + UNDERPRIVELEGED} become EMPOWERED to improve {THEIR OWN + OTHERS'} lives through mentoring, collaborating and birthing innovative impact-ful solutions.

-E

イマニュエル・A・サイモン
アメリカ　トリニダード・トバゴ出身

I'D LIKE TO SUSTAIN COMPANIES AND ORGANIZATIONS THROUGH THE INNOVATION OF BUSINESS PROCESSES.

—MICHAEL ESTABROOK

マイケル・エスタブルック
アメリカ

My purpose is to evolve the female entrepreneur so that she may turn her intellectual capital into multi-generational wealth.

Kadena Tate

ケディーナ・テート
アメリカ

Ik help ondernemers, investeerders businesscoaches en consultants bij het ontwikkelen van succesvolle bedrijven door complementaire ambities, netwerk en ervaring te verbinden en te faciliteren

Marieke Post, "Ambition Angel"

マリエク・ポスト
オランダ

Me levanto todos los días para revolucionar el mundo a través del diseño de experiencias extraordinarias e innovadoras que cambien para bien la vida de las personas. Para lograr esto es vital enseñar a la gente que la felicidad precede al éxito. Al final es acerca de hacer felices a otros.

アルフレド・オソリオ・アセンホ
チリ

厳しい試練

自信を持って
他の人と「目的宣言文」を共有できますか?
確信がないとか、恥ずかしいと思ったら、
さらに考えを深めてください。

ここまでのところ問題ないなら、
いよいよ、あなた自身を
「作り直す」次の段階に移る時です――

新たに作った「目的宣言文」を指針として、
あなたのパーソナル・ビジネスモデルを
再構築する可能性を探っていきましょう。

Revise 修正する

キャンバスと、ここまでの章で得た気づきをもとに
あなたの仕事生活（ワークライフ）を調整しよう。
——あるいは、新しく構築し直そう。

CHAPTER 6

自分を新しく構築しなおそう

カリフォルニア州　マウンテンビューにて

部屋いっぱいに集まった、グーグル社員は笑いながら、両手を頭の上に挙げ、身体を左右に揺らしています。その日の講演者が彼らに、次のように頼んだからです。「もしパワーポイントのスライドを見ながら、心の中の独り言に気づいたら、その声にしたがって動いてみてください」
いったい講演者は、どんなスライドを見せていたのでしょう？

「あなたは、自分の人生と行く末について真剣に考えているとき、『これが全てだっていうのか？』という疑問が突然わき起こり、落ち着かなくなる」

□ はい　□ いいえ

「あなたは、何かが起こったとき、あるいは何かが終わったとき、自分の人生をまっすぐに整え直そうとする。例えば、いま取り組んでいる大型プロジェクトが終わったとき。母親が手術を終え回復し、退院したとき。子どもが初めて立って歩いたとき。職を探していた配偶者が仕事を見つけたとき」

□ はい　□ いいえ

「あなたは、全ての出来事を、どのくらい自分に影響があるかという基準で評価する。もし配偶者が重要な職を得たなら、あなたとの関係にどう影響するか。もし上司が解雇されたら、その職を自分が得られるかどうか、あるいは次に来る誰かとうまくやっていけるだろうかと、考える」

□ はい □ いいえ

講演者のシュリクマー・ラオは、朗らかに笑いながら、いま行ったエクササイズの意味を次のように説明しました。私たちは皆、心の中で絶え間ない奔流のようにおしゃべりをしており、その真っただ中で生きている、と。そして、そのおしゃべりは、世界はどうなっているのか、という私たちの「固定観念（メンタルモデル）」を日々強化しているのです。

聴衆が肩をすくめたり、目を細くしたり、頭をかいたりするのを見回してうなずきながら、ラオはこう続けます。「あなたたちは皆、夢の世界に生きているのです」

聴衆にざわめきが広がっていきます。

「人生とは、いま経験している現実だけで成り立っているのではありません。あなたがいままで自分に語ってきたストーリー、そして、これから語り続けていくストーリーを合わせた全てにより、成り立っているのです」

このあたりで、今まさにスマートフォンの緊急メッセージに気付いたという仕草でそそくさと退出した人が数名いたものの…、ほとんどの参加者は会場にとどまりました。そして40分後、会場から離れるときには、少なからぬ参加者たちが、人生の見方を根本的に変えることになったのです（注21）。

あなたの見方《パースペクティブ》を変える

自分が伝えている考えにオリジナルのものは1つもない──ラオは穏やかながらも力強く言います。自分の教えは数千年前からの精神的・哲学的伝統に由来しているもので、人間を成り立たせる条件の根本に関わるものだというのです。

だからこそ、彼のメッセージは、知力と技術力の集約のようなグーグル社員たちの心に鋭く響いたのでしょう。光速で進化しているかのようなデジタル時代であっても、私たちがどう生きてどう働くかは、究極のところ、人間の変わらない本質によって形づくられるのです。

そして人間の本質こそが、パーソナル・ビジネスモデルの改善にとりかかる際、目を向けなくてはならないものです。誰もが、自滅的な心の独り言から逃れたいですし、自分を再構築することを望まない人がいるでしょうか？

1900年代の初めに、偉大な英国の哲学者バートランド・ラッセルによって考案された、素晴らしい思考実験から始めてみましょう。

20人が、同時に1つの椅子を見ていると想像してください（A)。20人それぞれの目には、椅子が違ったように見えています。

何人かは、椅子をこのように見ています（B）。他の人たちからはこのように見えます（C)。背の高い人にはこう見えるかもしれません（D)。

つまり、同じ椅子を見るのに、20の異なる見方があり得るのです。

これらの見方は全て正確でしょうか？　その通り。

全て正確だとしたら、どれが本当の椅子でしょうか？
うーん…。

答えは？
どの椅子でもありません。
どの見方も全て、椅子自体ではなく、椅子が見えている姿に過ぎません。椅子自体は1つの存在かもしれませんが、人は驚くほど異なる方法でそれを体験しているのです。

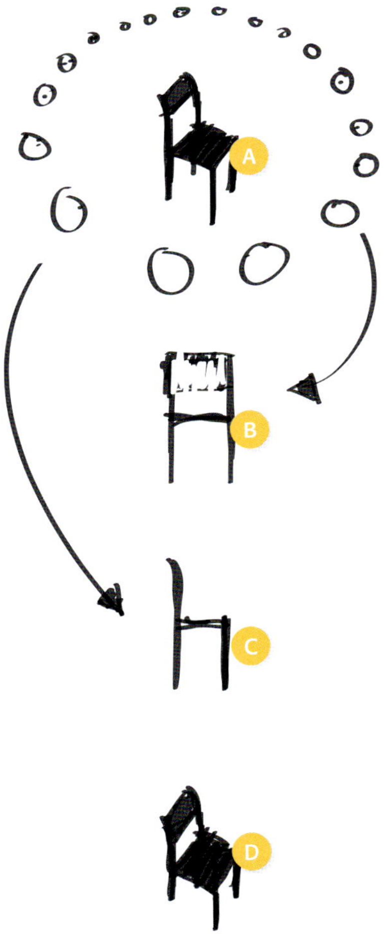

実際に、私たちが椅子をどう認識するかは、椅子自体の実体よりも私たちに影響を与えています。つまり、私たちの経験の中で意味を成している椅子は、実際の椅子ではなく、見えている姿（私たちの見方）に基づいているものです。

ラッセルが伝えたいことを要約するなら、椅子という物理的な実体を完全に知覚することは──椅子が実在していることを、私たちは知っているにも関わらず──不可能だということです。物の見方が常に、私たちの知識を制限してしまうのです。

しかしながら！　このことは別の可能性をもたらします。

私たちは、円になって見ている人たちのまわりを歩いたり、1人ひとりの後ろに立ち止まって椅子を見たりすることにより、椅子の異なる見方を体験できることになります。

20人が、椅子に対して20の異なる見方を持てたのですから、あなた自身も見方を変えるだけで、椅子への認識を20通りにも変化させられるのです。

一言でいうなら、あなたは現実を捉え直す力を、すでに使いこなしているということです。

人は思考したとおりに

意外な結論かもしれませんが――現実を捉え直すことは、現実そのものを変えてしまうのです。

あなたが知覚しているキャリア、性生活、家族や友人との関係は、必ずしも全て現実だとは限りません。それは単に、現実をあなたの見方で捉えた姿なのです。そしてあなたの見方は、たくさんのあり得る現実のうちのたった1つ――椅子についての20ある見方のうちの1つしか表しておらず、唯一の現実ではないのです。

問題になるのは、私たちが知覚したことを「現実」だと想定したとき、それが現実となってしまうことです（知覚したことは、心の中でのおしゃべり――たとえば「私のキャリアは失敗だ」「上司は私を嫌っている」「嫉妬深い同僚は、私の努力を無駄にしている」などと言うことによって、ますます強化されていきます）。

意義深いことに、私たちが経験している世界は、現実ではないのです。むしろ、ラオはこう言っています。

「私たちが『現実』を考案しました。私たちは断片を集めつなぎ合わせて、『現実』を組み立てました。私たちは固定観念（メンタルモデル）から現実を作り出し、そのうち固定観念の命ずるままに生きるようになります。このようにして私たちは、固定観念が、事実ではなく単なる知覚の産物だということにも気づかないまま、生き続けていくのです」（注22）

固定観念《メンタルモデル》を超える

パーソナル・ビジネスモデルを再構築する準備のために、自ら作り上げげた制約から抜け出す練習をしてみましょう。次に紹介するエクササイズは、あなたもご存じかもしれません。このエクササイズは、参加者の役立たない固定観念──語られることのない想定──について、本人が考え始めるきっかけとなるものです。

別紙に、次のような9つの点を描いてください、またはこの本の図を使ってもかまいません。

1. 9つの点を、一筆書きで全てつなげます
2. 直線4本しか引けません
3. 鉛筆を紙から離してはいけません
4. 線はどんな角度に描いてもかまいません
5. 最後には、線が全ての点を通り抜けているようにします

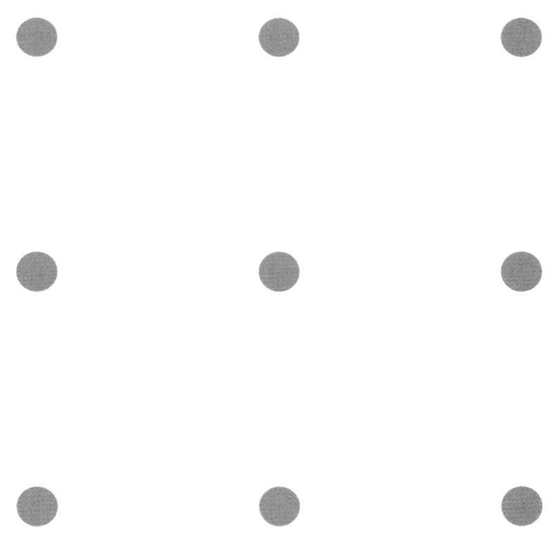

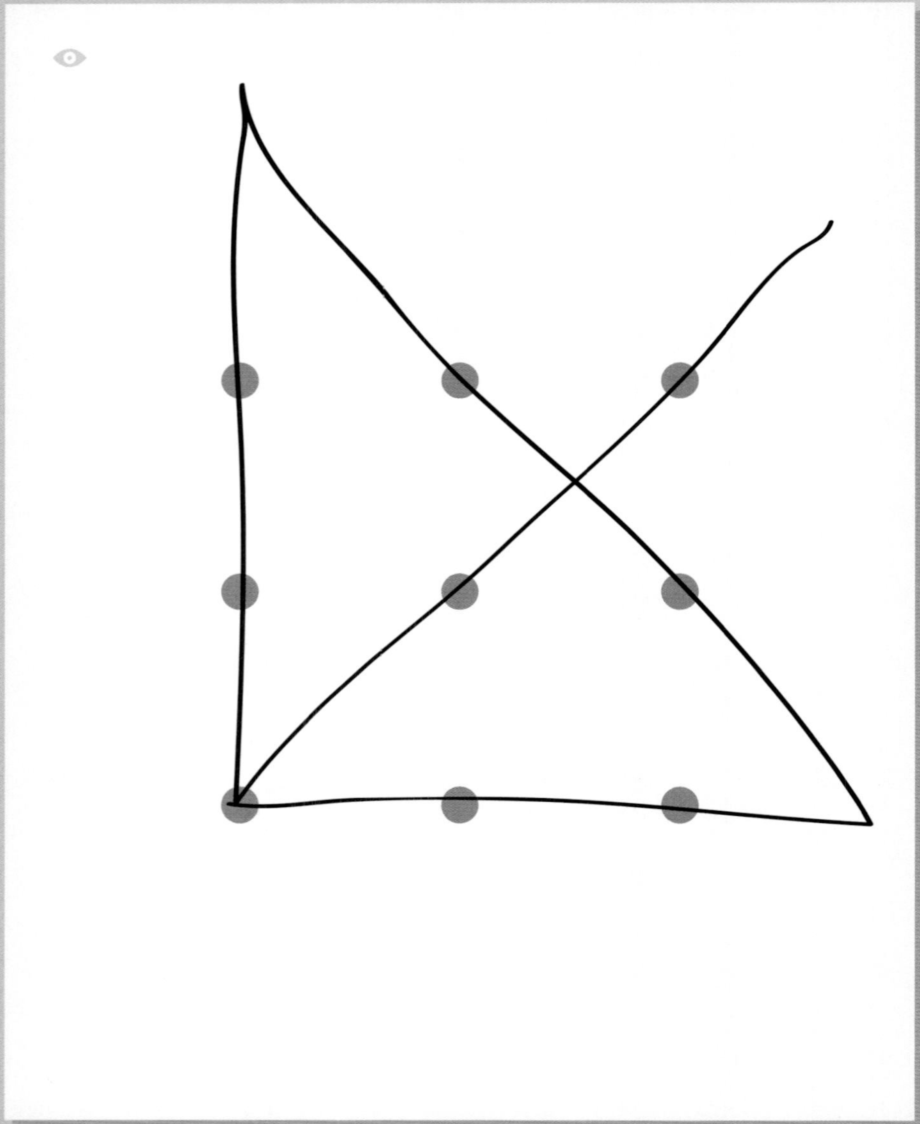

解決策は、型にはまらないで考えることで、得られます（この場合、きわめて言葉通りの意味ですが…）。

この問題に関して私たちの多くが、言葉にするまでもなく、ある仮定――「固定観念」を作っています。それは９つの点に囲まれた枠の中で考えなければいけない、と思ってしまうことです。しかし、この仮定に制約されていたら、決して問題は解決できません。ベンジャミン・ザンダーとロザモンド・ザンダーによれば、制限とは全て作られたものなのです。

「心が作りだした枠は、私たちが知覚できることを明確にすると同時に、制限もしてしまいます。人生で直面する全ての問題、全てのジレンマ、全ての行き詰まり状態は、ある枠や視点の中から見ていると、解決不能に見えます。しかし枠を広げるか、情報を眺め直して別の枠を作り直せば、問題は消え、新たな機会が見えてくるのです」（注23）

また別の、固定観念を打破する問題をやってみましょう。

一本の線を加え、正しい式にしてください。

簡単な方法は、式のイコールに直線を引いて、「≠」を作ることですね。しかし、この問題には他の解決法もあります。さて見つけられるでしょうか？

$$5 + 5 + 5 = 550$$

$$5\ 4\ 5 + 5 = 550$$

現実は「作られた」ものだという観念なんて、ニューエイジ的な癒し系の、トンデモ理論だと、切り捨ててしまうのは簡単です。しかしながら、ここで大切なことは、「全ての現実は作られたものだ」という見方が──それが客観的真実かどうかに関わらず──心理的に大いに助けになるということです（注24）。

ラオは、固定観念（現実の認識）から解放されるためのエクササイズを、他にも考案しています。

編集者

紙と鉛筆を手に取って、10分間の、静かな落ち着いた時間を取ってください。

いま困っていることがあれば、その状況について考え、紙に書き出してください。

フォーラムメンバーのアンバー・ルイスが、どのように現在の状況を書き出したのか読んでみましょう。そして彼女が行ったように、あなたも新しい現実を創造してみてください。

「ライターたちが、私に敬意を払ってくれないのです。彼らは、いつも同じ間違いのある原稿を提出してきます。どうしたら間違いをなくせるのか——それがどれほど重要なのかを、私はEメールで繰り返し説明しているのですが…。それでも彼らは、私の指示を無視するのです。きっと私はこの仕事には若すぎるのか、もしくはリーダーとしての適性がないのだと思います」

アンバーは置かれている状況——原稿制作の過程で繰り返し起こる問題から「現実」を組み上げました。この「現実」は、心の中のおしゃべりにより強化されています。そして時間が経つにつれ、彼女はますます強くそれを信じるようになりました。

こうなった時は、起こり得る、代わりの現実を考えてみてください。全く変わらない状況であるはずなのですが、このエクササイズには、素晴らしい効果があります。

アンバーは代わりの現実を、次のように想像してみました。

「ライターのうち数人は入社したばかりだったので、私たちの仕事のスタイルや膨大な仕事量にまだ慣れていなかったのかもしれません。しかも私はEメールだけで、彼らと連絡をとっていました。コミュニケーションを完全にオンラインのみで行うと、誤解を招いたり、大事な点を逃したりすることはあり得ますよね」

ラオによれば、代わりの現実は、次のようなものであるべきです。

1. いま経験しているものよりも、良い現実
2. もっともらしく、受け入れられる現実

あなたにとって望ましく、もっともらしい代替案をひとたび選んだら、あなたの前の見方を破棄して、新しい現実を採用してください。そしてそれが本当であるかのように生活してみましょう。

ラオは言っています。代わりの現実を生きるにつれて、うまく行きはじめた証拠を見つけたら、どんなに小さなものでもすぐに受け入れ、そこに考えをとどめてください。反対となる根拠は、断固として無視してください。あなたはまるで演技をしているように感じるかもしれません。その通りです。そうなのです！最終的に、あなたはその演じようとしている役柄そのものになるのです。

アンバーは新しく採用した現実がうまくいくように、ライターたちとミーティングを持つことにしました。目的は、彼らと、この会社での仕事のスタイルを確認すること。そしてEメールでは伝えるのが難しかった問題について、質問に答えながら、彼らに明確に指示するためです。結果は？　真実は、アンバーの代替案、つまり望ましい現実にずっと近かったと気づいたのです。

よりよい現実を創り出す

パーソナル・キャンバスは、現実を、あなたにとって
より役立つように再認識するための、
型《モデリングツール》になるツールだと考えてください。
個人のビジネスモデルを明確にし直す作業は、
混乱に陥りやすいと、心に留めておきましょう。
ビジネスモデル改革は、仕事の優先順位や明確な目標の
あることが前提である組織においてさえ、困難を伴います。
ましてや、プライベートの優先事項や目標を考慮すべき
個人のビジネスモデル改革には、
より一層の困難を覚悟しなくてはなりません。

とくに挑戦しがいがあるのは、

ビジネスモデル改革は、それに向けたプロセスの

実行を試みてもなお、依然として混乱に満ち、

予測不可能である点です。

よい解決策が現れるまで、

曖昧さと不確実性に対処する能力が必要となります…。

参加者は、すぐに1つの解決策に飛びつくのではなく、

多くの可能性を探るため、

多大な時間とエネルギーを投入しなければなりません（注25）。

CHAPTER 7

パーソナル・ビジネスモデルを
もう一度描く

176

キーポイント:

「弱さ」を強さに変える

プロフィール:

環境問題のオピニオンリーダー

名前 アル・ゴア

誰もが、彼の政策を支持するわけではありません。しかし元米国副大統領のアル・ゴアが——人生の目的、展望、アイデンティティを検討し直した結果——パーソナル・ビジネスモデルの再構築に成功した、素晴らしい事例であることは間違いないでしょう。

ゴアの自己革新が始まったのは、2000年の大統領選挙の後です。彼は50万票以上の大差で一般投票では勝利したのですが、実際の選挙では敗北。問題になったフロリダでの投票集計論争において、最高裁判所がジョージ・W・ブッシュに有利な判決を下したからです。公職に幻滅して、ゴアは次のように嘆いています。「今日の政治は、<中略>策略やごまかしのコミュニケーション戦略に耐えることを要求されるものになってしまった」(注26)。後に彼は、カレントTVを設立し、「テレビを民主化する」ことを実現しました。ユーザーの作るコンテンツを活用するビジネスモデルは、2005年当時のケーブルテレビにとって革命的なものでした。一方、環境問題に対する長年の情熱を以前にも増して燃やし、経済と環境のサステナビリティ（継続可能性）に取り組んでいる企業に投資するファンド設立に乗り出したのです。

ゴアの自己改革の成果が頂点に達したのは、2006年に、地球温暖化に関するドキュメンタリー映画『不都合な真実』が公開されたときでした。アカデミー賞を受賞したこの映画の最大の見せ場は、ゴアのパワーポイントによるプレゼンテーション。政治家としてのゴアは、地球のオゾンホールの脅威を多くの人に認識してもらおうと、30年近く取り組んできました。しかし、その目標を達成するには新たなパーソナル・ビジネスモデルが必要だったのです。この映画は世界各国の注目を集め、ゴアをメディアのスーパースターかつ環境問題のオピニオンリーダーに変えました。

ゴア個人のビジネスモデルの再構築が成功した要因は、

- 本当に興味があることに注目し直す
  環境問題に対するゴアの情熱は、政治家としては弱みになります。しかし、民間人としては最も大きな強みになりました。
- より多くの顧客の役に立つ
  ゴアの顧客基盤は、アメリカの国境を大きく越えて広がりました。さらには、新しい、政治に無関係の人々にも拡大されたのです。
- 新しいチャネルを採用する
  ゴアの与える価値は、映画、DVD、書籍という形で届けられるようになりました。サービスから商品に変わった結果、はるかに多くの人々に届くようになったのです。

アル・ゴア ― パーソナル・ビジネスモデルの変革

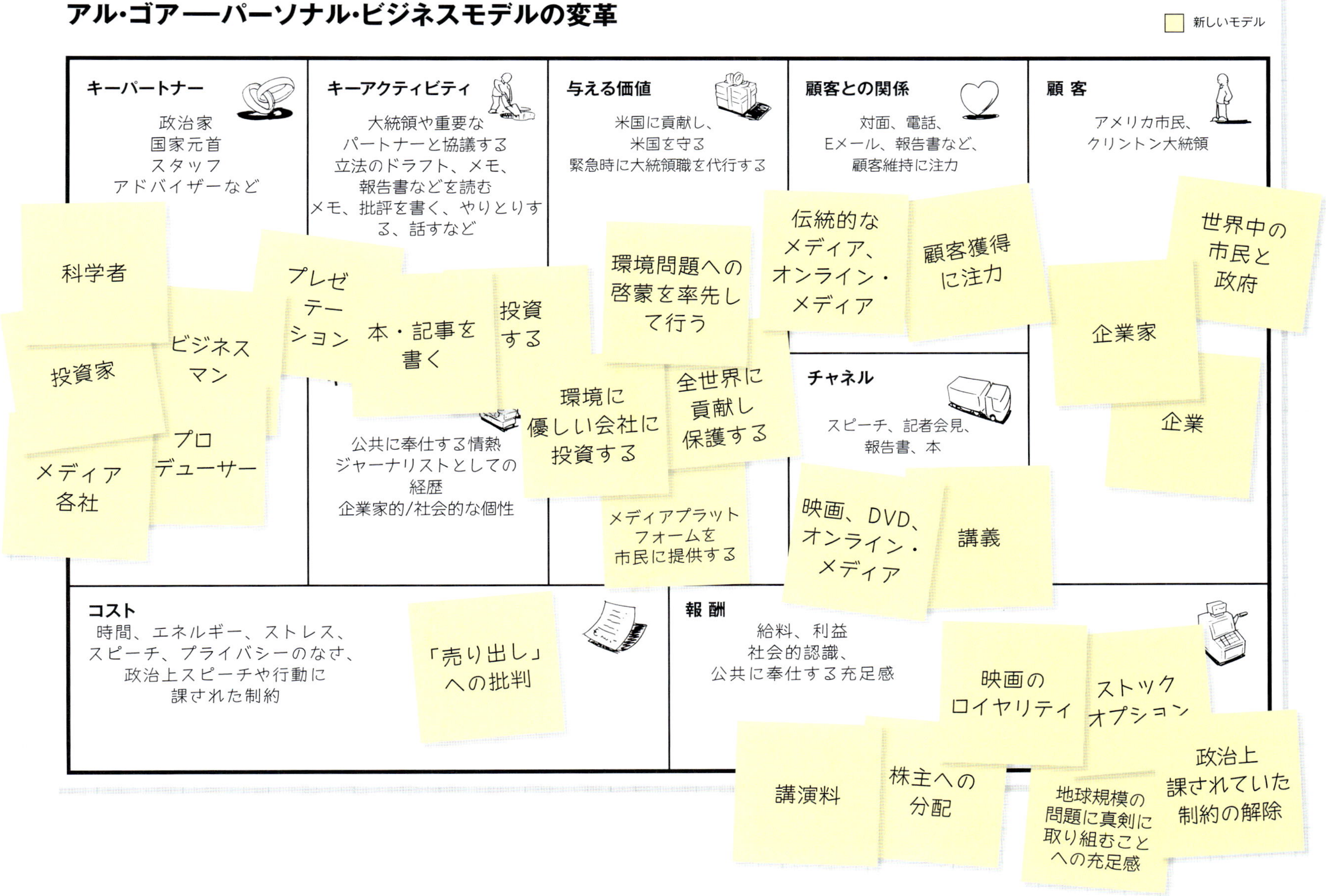
新しいモデル
キーパートナー
政治家
国家元首
スタッフ
アドバイザーなど
科学者
ビジネスマン
投資家
プロデューサー
メディア各社
キーアクティビティ
大統領や重要なパートナーと協議する
立法のドラフト、メモ、報告書などを読む
メモ、批評を書く、やりとりする、話すなど
プレゼテーション
本・記事を書く
投資する
公共に奉仕する情熱
ジャーナリストとしての経歴
企業家的/社会的な個性
与える価値
米国に貢献し、
米国を守る
緊急時に大統領職を代行する
環境問題への啓蒙を率先して行う
環境に優しい会社に投資する
全世界に貢献し保護する
メディアプラットフォームを市民に提供する
顧客との関係
対面、電話、
Eメール、報告書など、
顧客維持に注力
伝統的なメディア、オンライン・メディア
顧客獲得に注力
チャネル
スピーチ、記者会見、
報告書、本
映画、DVD、オンライン・メディア
講義
顧 客
アメリカ市民、
クリントン大統領
世界中の市民と政府
企業家
企業
コスト
時間、エネルギー、ストレス、
スピーチ、プライバシーのなさ、
政治上スピーチや行動に課された制約
「売り出し」への批判
報 酬
給料、利益
社会的認識、
公共に奉仕する充足感
映画のロイヤリティ
ストックオプション
講演料
株主への分配
地球規模の問題に真剣に取り組むことへの充足感
政治上課されていた制約の解除

あなたのパーソナル・ビジネスモデルをもう一度描く

ここでは、あなたがCHAPTER 4～6で得た気づきを組み合わせていくための、5つのステップを紹介しています。このステップはあなたを全く新しいキャンバスへと導きます。

1. 現在のパーソナル・ビジネスモデルを描いてください。

CHAPTER 3で書いたキャンバスを覚えていますか？　ここではそのキャンバスを再度、別の紙に描いてみましょう。今回、あなたはすでに目的を持っているので、あなたはどんな人なのか、どう役に立っているのか、誰の役に立っているのかを、より明確にしやすいでしょう。

2. 痛みのある箇所を特定します。

ワークライフ（働き方を含む仕事全体）で、あなたはどこに痛みを感じますか？　いま描いたキャンバスを見て、不満に感じているブロックを丸で囲んでください。

例えば、より多くのお金が必要な場合、報酬のブロックに丸をつけます。あるいは、売ることが苦手だったら、しかもそれがキーアクティビティの主要な活動の1つなら、「売る」の要素に丸をつけると同時に、キーアクティビティのブロック全体にも丸を付けてください。

3. 診断のための質問に答えます。

最も痛みの多いブロックについて、次ページからの該当する質問に答えてください。問題を明らかにする質問がある一方で、潜在的な可能性を指し示す質問もあるでしょう。どちらにしても、「解決への出発点」の欄を読み、どんな行動をとればいいかのヒントにしてみてください。

パーソナル・キャンバス

鍵となる協力者たちは、誰？
（キーパートナー）

あなたならではの、大事な仕事や取り組みは？
（キーアクティビティ）

あなたはどんな人？どんな財産《リソース》がある？
（キーリソース）

どう役に立ちたい？どうためになりたい？
（与える価値）

どう顧客と関わり、接する？
（顧客との関係）

どう知らせる？どう届ける？
（チャネル）

誰の役に立ちたい？誰のためになりたい？
（顧客）

何を費やす？
（コスト）

何を手に入れる？
（報酬）

診断用の質問

あなたはどんな人？　どんな財産《リソース》がある？ 

あなたならではの、大事な仕事や取り組みは？ 

質問	解決への出発点
いまの仕事に興味がありますか？	興味があるなら、素晴らしいことです！ そうでないなら、恐らく**キーリソース**（あなたはどんな人）と、**キーアクティビティ**（あなたならではの、大事な仕事や取り組み）の間にミスマッチが生じています。 目的も、考え直したいかもしれませんね。CHAPTER 4、5を読み返してみてください。
重要な能力やスキルを十分に使えていなかったり、 全く使っていなかったりしませんか？	能力やスキルが充分に生かされていないと、ストレスや不満という形で**コスト**に現れます。 顧客にもっと良い**与える価値**を届けられるよう、あなたの能力やスキルを**キーアクティビティ**に活かすことはできますか？　CHAPTER 4、5に戻り、なぜそのスキルが十分に活かされていないのかを検証してみましょう。
あなたの個性の傾向は職場に合っていますか？ （職場の雰囲気は一緒に働く人で決まることを思い出してください） あなたの個性の傾向は、仕事の内容に合っていますか？	もし合っているのであれば、すばらしいことです！ そうでなければ、よりあなたの個性に合う新しい**顧客**（あるいは**キーパートナー**）を獲得することを考えてみてください。顧客は**与える価値**に直接つながりますので、次のページで**与える価値**を確認するための診断用の質問を用意しました。 あなたの個性と仕事内容が調和しているかを確かめるためには、CHAPTER 4を見てください。

誰の役に立ちたい？　誰のためになりたい？

解決への出発点	解決への出発点
顧客に恵まれていますか？	そうであれば、素晴らしいことです！ そうでなければ、「夢のような」**顧客**が持つ特徴を想像してください。 いま働いている分野でそのようなクライアントを見つけることができますか？ そうでなければ、あなたのモデルを修正することを考えてください。
あなたの最も重要な**顧客**は誰ですか？	なぜその**顧客**がそれほど重要なのかはっきりさせてみましょう。 それは形のある報酬があるからですか？　形のない報酬はどうでしょうか？ それとも両方の組み合わせですか？ この**顧客**は、あなたの新しい、他とは違う**与える価値**に見合っていますか？
顧客が本当に満たしてほしいニーズは何ですか？　**顧客**はあなたのサービスを受けるための「より大きな」理由や動機を持っていますか？ たとえば、あなたの目の前の**顧客**は、さらに重要なニーズが満たされることを望む、より規模の大きな**顧客**のために仕事していますか？	あなたは、**顧客**がより大きな仕事で成功する役に立つために、 **与える価値**の内容を考え直したり、置き換えたり、修正したりすることができますか？
顧客のために役立つことは**コスト**がかかりすぎますか？ **顧客**のために役立つことに、無理がありませんか？	形のないものを含めて、**顧客**のための**コスト**がかかりすぎていませんか？ **報酬**は低すぎませんか？　**顧客**を切る余裕がありますか？ **顧客**を切らないでおく余裕がありますか？ **与える価値**、**コスト**、**報酬**に関する診断用の質問を活用してください。
顧客は、**キーアクティビティ**と満たされるべきニーズを一緒にしていませんか？ あなた自身はどうですか？	往々にして、**顧客**自身が満たされるべきニーズを明確にしていない場合があります。 それを**顧客**が明確にするのに役に立てますか？　あなた自身は、**与える価値**を大きくするために**キーアクティビティ**を明確にし直し、修正できますか？
新しい**顧客**が必要ですか？	そうであれば、**顧客との関係**を「維持」から「獲得」に変更してください。 もっと売上を上げたり、マーケティングを行ったりする必要がありますか？ その分野のスキルを高めたり、伸ばしたりすることができますか？ あなたが新しい**顧客**を得ることに協力してくれる**キーパートナー**はいますか？

どう役に立ちたい？　どうためになりたい？

質問	解決への出発点
あなたのサービスのどの要素が、**顧客**に本当に評価されていますか？	この質問を**顧客**にしてみてください。驚くような答えが返ってくるかもしれません。 181ページの**顧客**に関する診断用の質問に答えてみてください。
あなたの**与える価値**は**顧客**ニーズにとって重要と思われる要素に対応したものになっていますか？	あなたは本当に満たされるべきニーズを理解していますか？　あるいは、憶測にたよっているのでしょうか？　重要な**与える価値**に、もっと的確に注力するために、**キーアクティビティ**を再考したり、修正したりすることはできますか？
他の**チャネル**を使って**与える価値**を届けることができますか？	あなたの**顧客**は現在の**チャネル**を好んでいますか？　代わりの**チャネル**で**与える価値**を届けることに、あなたは適応できますか？　拡張性のあるビジネスモデル（45ページを参照）に移行できるよう、**与える価値**をサービスから製品へ変更することはできますか？
顧客に**与える価値**を届けるプロセスを楽しんで行っていますか？	そうであれば、すばらしいです！ そうでなければ、**キーリソース**を確認して、モデルを見直した方が良いかもしれません。

どう知らせる? どう届ける? どう顧客と関わり、接する?

チャネルに関する質問	解決への出発点
顧客は、どのようにあなたを認知しますか? **顧客**はどのようにあなたのサービス(あるいは製品)を評価しますか? **顧客**が好む方法で購入できるようにしていますか? どのようにサービス/製品を届けていますか? どのように購入後の満足度を保証していますか?	どのように**顧客**の役に立つのか、伝えられるよう明確にしていますか? どのような新しい方法で認知度を上げたり、評価したりしてもらうようにできますか(ソーシャルメディア、オンライン・プレゼンテーションなど) **顧客**が好む方法で、購入と配達ができていますか? 購入方法の選択肢を提供することができますか? 新しい媒体か、今までと異なる媒体(DVD、ポッドキャスト、ビデオ、マンツーマン)を通して届けることができますか? **キーパートナー**はあなたのために認知度を上げたり、商品/サービスを届けたりしてくれますか? あなたの商品やサービスに対してどれくらい満足しているか、**顧客**に尋ねたことはありますか?
今、どの**チャネル**を使って認知度を上げ、**与える価値**を届けていますか? **顧客**に直接届けていますか?	さらに多くの**顧客**へ届けることができるように、あなたのサービスを製品に変えることは可能ですか?(これは、いわゆる規模の経済――拡張性のあるビジネスモデルを作るきっかけとなります。**与える価値**の診断用の質問を見てください)

顧客との関係に関する質問	解決への出発点
顧客はどんな関係性を期待しているでしょうか?	**顧客**が望む方法でコミュニケーションしていますか?――あるいはあなたが望む方法でしょうか? コミュニケーションの方法を、付け加えるか、取りやめるか、質や量を増やしていくか、減らしていくか、考えてみてください。
顧客との関係の一番の目的は何ですか? **顧客**の維持でしょうか、新規獲得でしょうか?	あなたの目的が**顧客**の維持である場合、**キーアクティビティ**に顧客満足度を測定することが入っていますか?(もし満足度が低い場合は、**与える価値**の診断用の質問を見てください。) あなたの目的が新規獲得である場合、販売やマーケティングに関するキーアクティビティの方法や回数を増やす必要がありますか?
ユーザーのコミュニティを作るか、すでにあるものに参加することは、あなたの**顧客**とのコミュニケーションをより良くするでしょうか? **顧客**とサービスや製品を共同制作することはできますか?	あなたの**顧客**はユーザーのコミュニティで、お互いに助け合うことができますか? あるいは、ユーザー・コミュニティを活用することで、ある程度、**顧客との関係**を自動化できますか?(**チャネル**の項を参照) あなたの**顧客**と一緒に、全く新しい**与える価値**を創出したり改善したりすることを考えてみてください。

鍵となる協力者たちは、誰?

質問	解決への出発点
あなたの**キーパートナー**は誰ですか?	**キーパートナー**はあなたの**キーアクティビティ**を引き受けることはできますか、またはその逆はありますか? **キーパートナー**との関係を深めたり、より戦略的にしたりすることによって、**コスト**を下げられますか? **キーパートナー**と手を組むことにより、**与える価値**を改善し、創りだすことができますか?
キーパートナーがいない場合、見つける必要がありますか?	重要な**キーリソース**を得るには、自分で行うよりも、**キーパートナー**から得る方がより低**コスト**で、より効率的で品質の良いものが得られるでしょうか? 同僚かだれかに、**キーパートナー**になってもらえますか? あるいは、今いる**キーパートナー**にやめてもらうことはできますか?

何を手に入れる？  何を費やす？ 

報酬に関する質問	解決への出発点
顧客に対して**与える価値**をうまく創り出せたとき、**報酬**が生まれます。**報酬**は適切でしょうか？	もし十分でなければ、マーケティング活動を増やし、**顧客**を入れ替えるか、新しい**顧客**を獲得する必要があるかもしれません。あなたの**与える価値**に対する、**顧客**の評価とあなたの評価は一致していますか？ そうであれば、価格交渉や**コスト**削減を考えましょう。そうでなければ、**与える価値**に関する質問をやってみてください。
与える価値を過小評価して、低い**報酬**に甘んじていませんか？	あなた（あるいは**顧客**）は、**与える価値**と**キーアクティビティ**を同一のものと見ていませんか？ あるいは本来の満たされるべきニーズを誤って解釈していませんか？ **顧客**が喜んでお金を払ってくれるのは、あなたのどの仕事に対してでしょうか？ **顧客**と**与える価値**を見直す質問について考えましょう。そして、あなたの**与える価値**を高められるかを見てみましょう。
今得ている**報酬**は適正ですか？ そう思えない場合、各種の**コスト**を削減できれば適正と思える範囲ですか？	**コスト**を削減できれば適正だとして、**顧客**の役に立つために必要な**キーアクティビティ**を縮小したり、修正したりすることができますか？ そうでなければ、新規顧客獲得、売上増加、あるいはあなたのビジネスモデルを修正することを考えてみてください。
報酬は、**顧客**の希望する方法で支払われていますか、あるいはあなたの希望の方法ですか？	働き方を従業員から契約社員へ移行できますか？ またその逆は？ あるいはリテーナー契約から定期購読契約/加入契約への移行は？ またその逆は？ あなたのサービスを、販売、レンタル、ライセンス販売、定期購読の対象となる商材に変えることができますか？ 物で支払いを受け取っていないですか？ **顧客**に少々**コスト**を負担してもらって、あなたにとって価値ある方法で**報酬**を受け取れるように交渉することは可能ですか？

コストに関する質問	解決への出発点
いまの仕事の仕方で発生している主な**コスト**は何ですか？	ソフト**コスト**（ストレス、不満などの数値化できないコスト）も、ハード**コスト**（時間、エネルギー、お金などの数値化できるコスト）と同様に考えてみてください。**キーアクティビティ**を変更することで、あるいは**キーパートナー**に分配することで、**コスト**を削減、またはゼロにすることができますか？ あなたが**与える価値**を損なわずに、**キーアクティビティ**のどれかを縮小するか、なくすことができますか？ **キーパートナー**や**キーリソース**への投資を増やすことによって、**与える価値**をさらに増やすことはできますか？
あなたのビジネスモデルでソフト**コスト**が最も高くなっているのは、どの**キーアクティビティ**でしょうか？	ある**キーアクティビティ**のソフト**コスト**が異常に高い場合は、**キーリソース**と**キーアクティビティ**の組み合わせが悪いということが考えられます。CHAPTER 4を振り返ってみましょう。

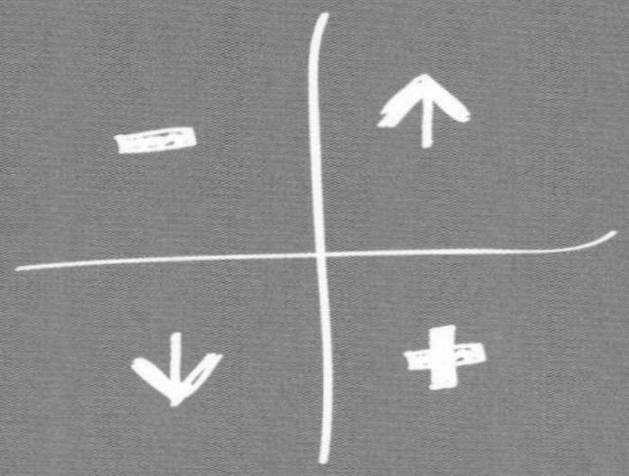

**4. ビジネスモデルを組み立てている
ブロックを修正します。**

診断用の質問に対するあなたの回答を見てください。次の表を使って、ブロックを修正するポイントを挙げていきましょう。販売活動を減らしたいのであれば、「減らす」の下に「売ること」と書きます。

このテクニックについては、キムとモボルニュ著『ブルー・オーシャン戦略』で書かれている4つのアクション・フレームワークを参照してください。

9つのブロック	付け加える ＋	取り除く −	増やす ∧	減らす ∨
あなたはどんな人？ どんな財産《リソース》がある？ 				
あなたならではの、 大事な仕事や 取り組みは? 				
誰の役に立ちたい? 誰のためになりたい? 				
どう役に立ちたい? どうためになりたい? 				
どう知らせる? どう届ける? 				
どう顧客と関わり、 接する? 				
鍵となる 協力者たちは、誰? 				
何を 手に入れる? 				
何を 費やす? 				

変更に伴う影響を評価することは、とても興味深い――そして時には複雑な――プロセスです。なぜならブロックは相互に関係しているからです。1つのブロックの要素を変更すると、別のブロックの要素も変更することが必要となります。このことはCHAPTER 2で組織のキャンバスを描いた時に簡単に見てきました。さて、これからブロックの中の要素を変更したり、変更による効果を追いかけたりするための、詳細な手順を紹介しましょう。

ブロックはどのように互いに影響するのか

報酬のブロックで、よく起こりそうな問題を想像してください。例えば、十分なお金が入ってこないとします。あなたは次の２つの方法により、より多くの報酬を得られます――（1）もっと多くの／良い／異なる顧客を得ること、あるいは（2）より強い／異なる／高額な、与える価値を提示すること。

新しい顧客を加えることにより報酬を増やすとします。前のページの、ブロックの「付け加える」列に戻ってください。「誰のためになりたい？」の隣にあなたが加えたい新しい顧客を書きます。

さあ、紙の上での顧客が加わりました。それはとても簡単なことです。しかし、顧客を書き加えたからといって自動的に目の前に新しい顧客が現れるわけではありませんね？　顧客を増やすにはさらなる販売、マーケティングの努力が必要になります。あなたが取り組むことにマーケティングや販売を「付け加える」か、「増やす」かしなければなりません。

9つのブロック	付け加える ＋	取り除く －	増やす ∧	減らす ∨
あなたはどんな人？ どんな財産《リソース》がある？ 	販売とマーケティングのスキルを磨く			
あなたならではの、大事な仕事や取り組みは? 			販売やマーケティングを行う	
誰の役に立ちたい? 誰のためになりたい? 	新しいクライアント			
どう役に立ちたい?　どうためになりたい?				
どう知らせる?　どう届ける?				
どう顧客と関わり、接する?				
鍵となる協力者たちは、誰?				
何を手に入れる?				
何を費やす?				

あなたが何に取り組むのかを記入すると、それは他のブロックに影響します。たとえば、販売スキルがなかった場合、セールストレーニングや、マーケティングコースを受けたいと思うかもしれません。表の「あなたはどんな人？」という欄に記入を行ってください。

一方で、この分野に長けているパートナーと組むことによって、販売を強化するという目的を達成できるかもしれません。それなら、「鍵となる協力者たちは、誰？」という欄に、適宜記入します。

それではここで、パーソナル・ビジネスモデルを効果的に修正する方法を紹介しましょう。それは目的を達成するために1つのブロックの要素を変更したときは、その変更によって他のブロックにどう影響が出るかを明確にすることです。その後で、影響のある他のブロック中の要素も、順次修正してください。

そして、モデルの中のブロック全体を通して改善の必要性を確認して、適宜調整してください。

9つのブロック	付け加える ＋	取り除く −	増やす ∧	減らす ∨
あなたはどんな人？……				
あなたならではの、大事な仕事…				
誰の役に立ちたい？ 誰のためになりたい？	新しい クライアント			
どう役に立ちたい？　どうため…				
どう知らせる？　どう届ける？				
どう顧客と関わり、接する？				
鍵となる 協力者たちは、誰？	新しい 販売パートナーの 獲得			
何を手に入れる？			追加料金	
何を費やす？				

5. あなたのモデルを描き直します。

問題のブロックを修正したら、新しいキャンバスを描く時間です。

これはキャンバスを一度描いてから、もう一度修正するという意味ではありません。キャンバスの強みは、異なるパーソナル・ビジネスモデルをいろいろ試せるように仕組み化されている点です。異なる仕事のスタイルをプロトタイプとして試みて、あなたに最適なものを見つけてみましょう。

プロトタイプの力

さまざまなパーソナル・ビジネスモデルのプロトタイプをキャンバスで創ってみることは、あなたの生活が変わった時に役に立ちます。万が一あなたの素晴らしいマネージャーが明日、鬼のような上司に交替したらどうしますか？　多くの選択肢があれば、急な切り替えがしやすくなります。別の働き方のモデルの下で、あなたは行きたいところへ行けるようになるでしょう。

パーソナル・キャンバス

鍵となる協力者たちは、誰？
（キーパートナー）

あなたならではの、大事な仕事や取り組みは？
（キーアクティビティ）

あなたはどんな人？どんな財産《リソース》がある？
（キーリソース）

どう役に立ちたい？どうためになりたい？
（与える価値）

どう顧客と関わり、接する？
（顧客との関係）

どう知らせる？どう届ける？
（チャネル）

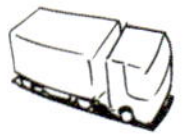

誰の役に立ちたい？誰のためになりたい？
（顧客）

何を費やす？
（コスト）

何を手に入れる？
（報酬）

再創造へのインスピレーション

パーソナル・ビジネスモデルを創り直すために、私たちは同じツールを使っています。
しかし私たちの個別のプロセスと、そこから出てくる結果は、まったく人それぞれです。

本章の終わりに、4つの個性的な物語を紹介します。
それぞれの個人の置かれた事情は、あなたとは違うかもしれませんが、
あなたが『ビジネスモデルＹＯＵ』の手法を、どのように個人に適用できるかを
より深く広く理解するのを助けてくれるでしょう。

1.キャンバスを準備してください。

2.次の物語では、1つ2つのブロックに集中することが、
どのように重要な変化をもたらしたかに注目してください。

3.自分のモデルを描き直してください。

12ページの職業リストを覚えていますか？
今、そのリストを見返してみるのに良い時です。
あなたの職業と似ている物語を読んでください。

194

キーポイント:
チャネルを選択する

プロフィール:
ミュージシャン

17歳にしてテレビ出演で成功したアムステルダムの歌手ハインドは、ドイツ音楽業界の大手BMGと契約。デビューアルバム40,000枚を売り上げ、エジソン最優秀新人賞を受賞。しかしその後、よりビッグなBMGスターに押され影が薄くなってしまったのです。彼女はなんとか、自分を売り出そうと努力していました。

同じころ、音楽のダウンロードが爆発的に広がり、従来の音楽産業のビジネスモデルに打撃を与えていました。レコード会社は音楽を宣伝し、届けるためのチャネルを支配できなくなってしまったのです。

ハインドは考えました。急速に変化する音楽業界に適応し、ビジョンを追い求める自由を得るには、パーソナル・ビジネスモデルを新たに構築し直す必要があると。そこでキャンバスを活用することにしました。彼女が最初に取りかかったのは、チャネルのブロックに関する厳しい質問でした。ファンは、どのようにして彼女の存在を知るのか？　彼女の音楽はファンにとって好ましい方法で届けられているのか？　どんなフォローアップをすればリスナーの満足度が上がるのか？

これらの質問に答えることが、明確な決意につながりました。ハインドとマネージャーのエディは自らのレーベル、Bハインドを立ち上げました。この新しいビジネスモデルでは、ハインドが自分の音楽の作曲、演奏、販売促進、流通に関し、完全にコントロールできるのです。

名前　ハインド

ハインドの新しいモデル VS. 従来の音楽業界のモデル

□ 古いモデル　□ 新しいモデル

鍵となる協力者たちは、誰？（キーパートナー）

- ビジネスとロジスティックスを助けてくれるマネージャー
- ファイナンスに貢献してくれるSellaBand
- iTunes、他の配信元

- 新しいアーティストを見つける
- 曲のレコーディング、宣伝、流通
- 法務、財務の処理
- 作曲、レコーディング、公演
- 宣伝の機会を探す
- 契約しているミュージシャン
- レコーディングのノウハウと設備
- 流通、法務、財務の専門知識
- 音楽への情熱
- 訴えかけ、魅力、誠意
- 歌唱力、作曲する能力、ビジネスセンス

どう役に立ちたい？どうためになりたい？（与える価値）

- ミュージシャンとファンをつなげる
- ファンを元気づけ、楽しませる
- 広告主が望む顧客に届くことを助ける

どう顧客と関わり、接する？（顧客との関係）

- ファンと直接コミュニケーションする

どう知らせる？どう届ける？（チャネル）

- 今までのチャネルやメディアを通じて、宣伝し、届ける
- オンラインで宣伝し、届ける

誰の役に立ちたい？誰のためになりたい？（顧客）

- ミュージシャン
- ファン
- 音楽ファン
- 広告主
- 消費者

何を費やす？（コスト）

- 間接費
- アーティストへの前払い金
- 法務や流通にかかるコスト
- 時間、エネルギー、お金
- リスク

何を手に入れる？（報酬）

- CDの売上
- オンエアの印税
- デジタル版音楽の売上
- コンサートの入場料
- 広告、関連グッズの売上

196

キーポイント:
人を助け、自分自身も助ける

プロフィール:
ブロガー

名前 J.D.ロス

「何年もずっと、私は浪費家でした」とJ.D.ロスは言います。「でも、妻とともに築百年の農家を買った時、ついにお金が底をついてしまいました」。特注の段ボール箱を販売していたJ.D.は、以前から自己成長《セルフ・インプルーブメント》と執筆に興味を持っていました。とうとう破産して借金を負った彼は、自分自身を創り直す決心をしたのです。

J.D.は、個人ファイナンスに関して書かれたあらゆる本を読みました。そして自分の気づきをまとめ、「ゆっくりリッチになる方法！」というタイトルでブログに投稿。そのオンライン・エッセイ、そして彼のスタイル──自分の書いたことは実行するという約束──は読者の共感を呼びました。1年後、彼は個人ファイナンスに関する自分自身のブログを立ち上げましたが、タイトルはもちろん「ゆっくりリッチになる」です。「まさかブログを書くことだけで生計を立てられるとは思ってもいませんでした」と彼は言います。「ただ、このブログは人のためになる、と思って始めたのです」

しかし、彼のオンラインからの収入は大きくなり、やがて「ゆっくりリッチになる」から得られる所得は、J.D.の段ボール会社からの給与を凌ぐまでになったのです。まさにその頃、彼はプロのブロガーとしてのビジネスモデルを選択し、昼間の仕事を辞めました。「それは私の人生で最良の決断でした」とJ.D.が言います。「私は借金を返済し、将来のために貯蓄し、しかも、人々の役に立っていました」

ところが、1週間に7日投稿するスケジュールと、60,000人を超える読者との頻繁なやり取りで、J.D.は燃え尽きてしまうことに。「ゆっくりリッチになる」の質は落ち始めたのです。個人のビジネスモデルを再び進化させるべき時だと、J.D.は自覚しました。彼は「ただ一人の乗組員としてではなく、船を先導する」ために、ビジネスパートナーを見つけ、文章を書ける社員を雇いました。その決定によりコストは増えましたが、J.D.のストレスや費やしている時間は劇的に減ったのです。そうして空いた時間を本の執筆に充てることができ、その結果、収入も満足度も急上昇。その間も「ゆっくりリッチになる」の登録者数は伸び続けました。いまやJ.D.は、友人や家族とより多くの時間を過ごすようになり、念願のアフリカ、ヨーロッパなどへの旅行にも長期間行けるようになりました。

「パーソナル・キャンバスはとても役に立ちました。なぜなら私たちは皆、何をしたいのか束の間思いついても、たいていは記録し損なってしまうからです」と彼は言います。「書き留めたなら、それは永遠に残ります。キャンバスは、あなたが何を行いたいかを思い出させてくれるのです」

J.D.のモデル v.1.0:段ボール箱の販売

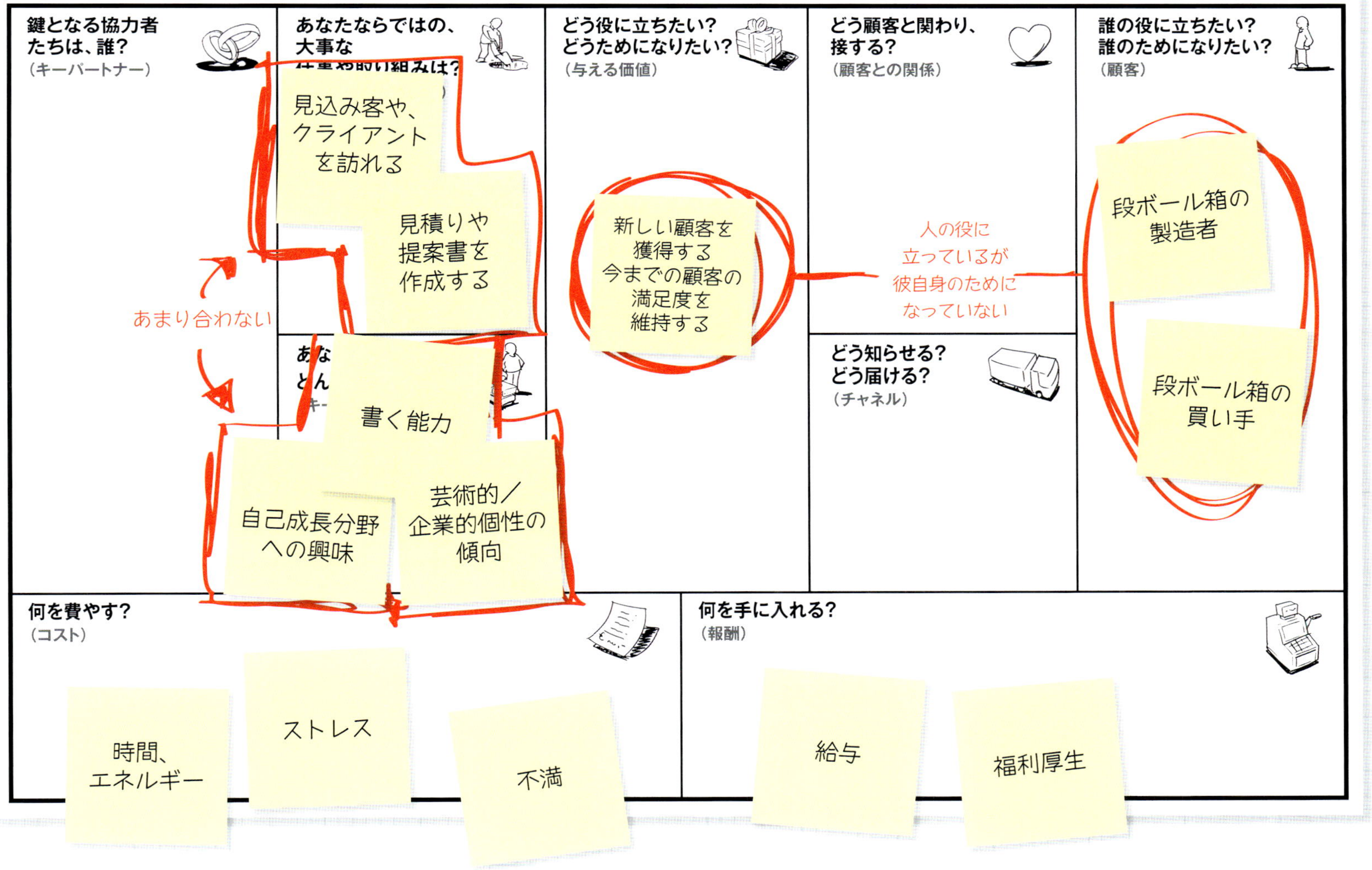
鍵となる協力者
たちは、誰?
（キーパートナー）
あなたならではの、
大事な
見込み客や、
クライアント
を訪れる
見積りや
提案書を
作成する
あまり合わない
書く能力
自己成長分野
への興味
芸術的／
企業的個性の
傾向
どう役に立ちたい?
どうためになりたい?
（与える価値）
新しい顧客を
獲得する
今までの顧客の
満足度を
維持する
どう顧客と関わり、
接する?
（顧客との関係）
人の役に
立っているが
彼自身のために
なっていない
どう知らせる?
どう届ける?
（チャネル）
誰の役に立ちたい?
誰のためになりたい?
（顧客）
段ボール箱の
製造者
段ボール箱の
買い手
何を費やす?
（コスト）
時間、
エネルギー
ストレス
不満
何を手に入れる?
（報酬）
給与
福利厚生

J.D.のモデル v.2.0:ブロガー

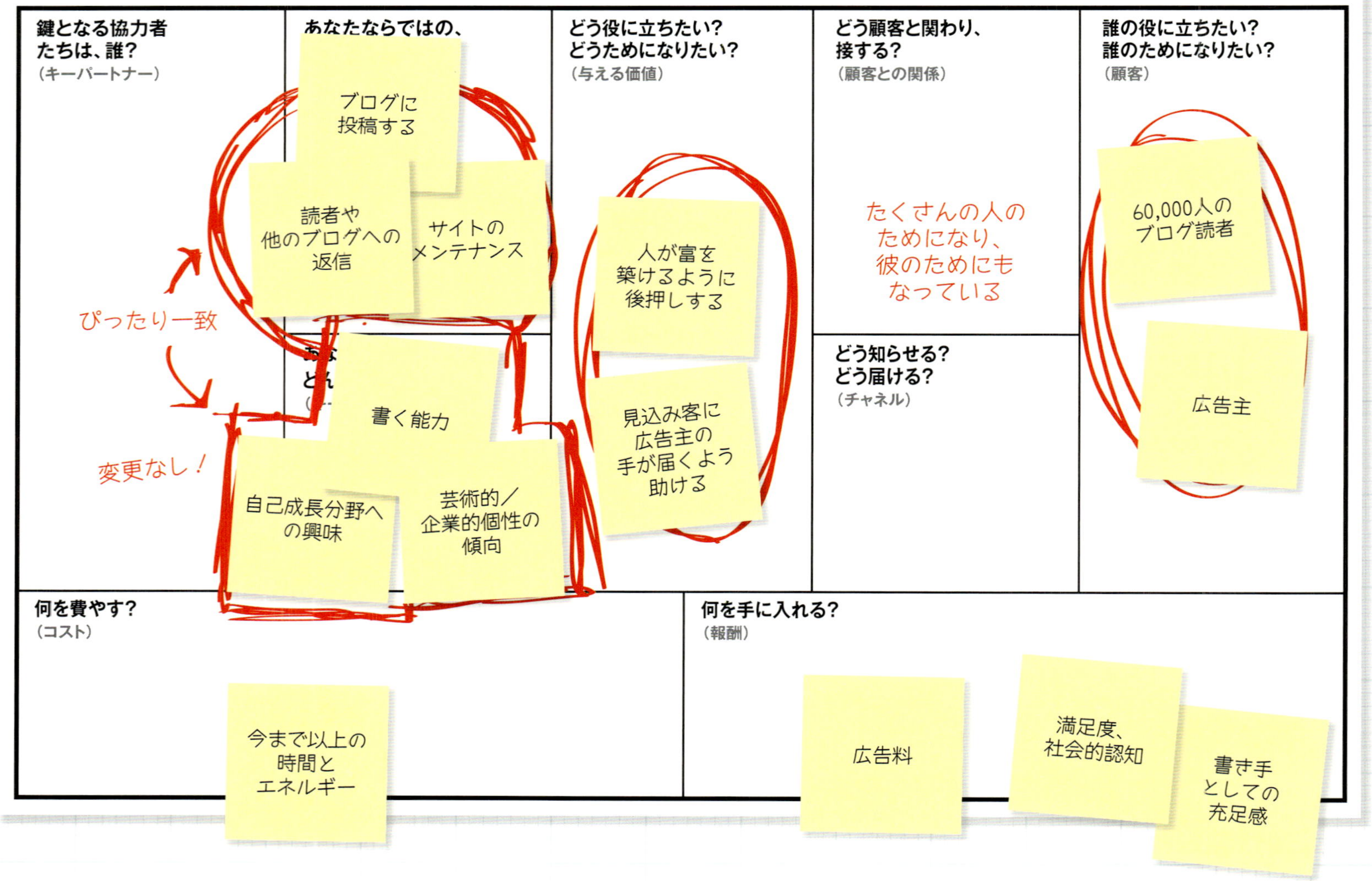
鍵となる協力者
たちは、誰?
(キーパートナー)
あなたならではの、
ブログに
投稿する
読者や
他のブログへの
返信
サイトの
メンテナンス
書く能力
自己成長分野への興味
芸術的/
企業的個性の
傾向
ぴったり一致
変更なし!
どう役に立ちたい?
どうためになりたい?
(与える価値)
人が富を
築けるように
後押しする
見込み客に
広告主の
手が届くよう
助ける
どう顧客と関わり、
接する?
(顧客との関係)
たくさんの人の
ためになり、
彼のためにも
なっている
どう知らせる?
どう届ける?
(チャネル)
誰の役に立ちたい?
誰のためになりたい?
(顧客)
60,000人の
ブログ読者
広告主
何を費やす?
(コスト)
今まで以上の
時間と
エネルギー
何を手に入れる?
(報酬)
広告料
満足度、
社会的認知
書き手
としての
充足感

J.D.のモデル v.2.1:スーパーブロガー

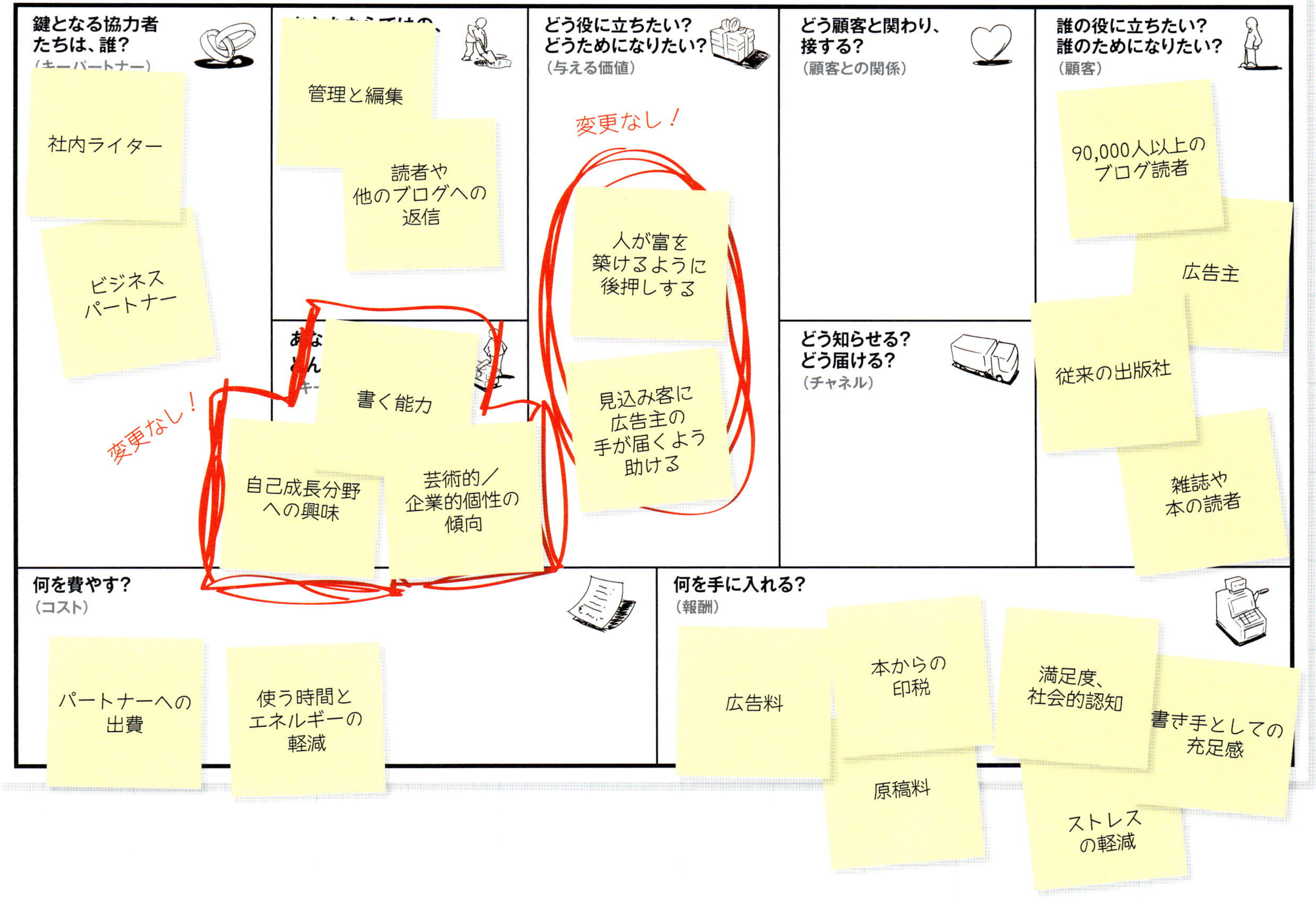
鍵となる協力者たちは、誰?
社内ライター
ビジネスパートナー
管理と編集
読者や他のブログへの返信
どう役に立ちたい?どうためになりたい?
(与える価値)
変更なし!
人が富を築けるように後押しする
見込み客に広告主の手が届くよう助ける
どう顧客と関わり、接する?
(顧客との関係)
誰の役に立ちたい?誰のためになりたい?
(顧客)
90,000人以上のブログ読者
広告主
従来の出版社
雑誌や本の読者
書く能力
変更なし!
自己成長分野への興味
芸術的/企業的個性の傾向
どう知らせる?どう届ける?
(チャネル)
何を費やす?
(コスト)
パートナーへの出費
使う時間とエネルギーの軽減
何を手に入れる?
(報酬)
広告料
本からの印税
原稿料
満足度、社会的認知
書き手としての充足感
ストレスの軽減

200

名前 マールテン・バウヒャイス

キーポイント: より多くのキーリソースを表に出す

プロフィール: ラジオ・アナウンサー

マールテン・バウヒャイスは、ビジネスニュース・ラジオ社の制作部に入ったとき、ラジオのパーソナリティになるとは夢にも思っていませんでした。しかし数カ月後、「アナウンサーとして働いてもいいのでは?」と思い始め、それを目標にしました。

ラジオのパーソナリティになる過程で、マールテンは声、言葉の使い方、インタビューのスタイルを熱心に磨き上げていきました。そして最近まで、これらの技術が彼個人のビジネスモデルのキーリソースだと思っていたのです。

しかしラジオ・アナウンサーは、安月給。マールテンは、これらのキーリソースの価値には限界があると気づきました。その後、同僚やリスナーからのフィードバックを受けているうちに、マールテンは自分が全く新しいスキルを創り上げてきたことに気づきました。それは流行を捉え明確にする能力や、同僚やリスナーと素早く、的確に、感情をこめてコミュニケーションをとるコツなどで、多くのインタビューや解説の仕事を通して培われたものです。

これらの新しいスキルはビジネスセミナーや何らかのイベントで、議論のリーダーやファシリテーターとして働くことと結びつきました。今、彼はファシリテーターを一度行うことで、ラジオ・アナウンサー1カ月分の給料と同額を得ることもあるのです。

「キーリソースを、過去にあなたが定義したものだけに制限しないでください」とマールテンは言います。「あなたのパーソナル・ビジネスモデルは、常に進歩しているのです」

マールテンの拡張モデル

□ 当初の構成要素　□ 新しい構成要素

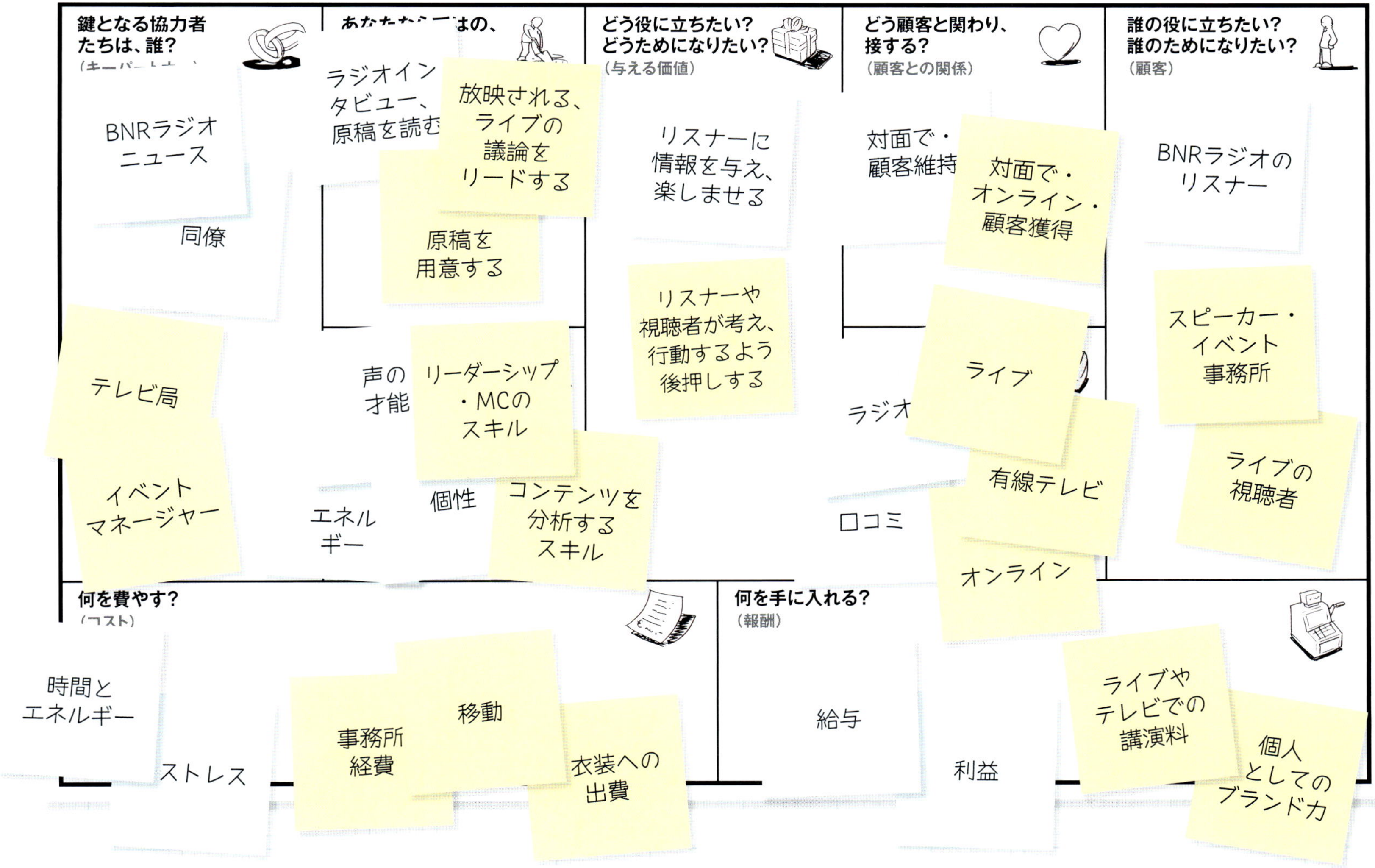

鍵となる協力者たちは、誰？
BNRラジオニュース
同僚
テレビ局
イベントマネージャー
ラジオインタビュー、原稿を読む
放映される、ライブの議論をリードする
原稿を用意する
声の才能
リーダーシップ・MCのスキル
エネルギー
個性
コンテンツを分析するスキル
どう役に立ちたい？どうためになりたい？
（与える価値）
リスナーに情報を与え、楽しませる
リスナーや視聴者が考え、行動するよう後押しする
どう顧客と関わり、接する？
（顧客との関係）
対面で・顧客維持
対面で・オンライン・顧客獲得
ラジオ
ライブ
有線テレビ
口コミ
オンライン
誰の役に立ちたい？誰のためになりたい？
（顧客）
BNRラジオのリスナー
スピーカー・イベント事務所
ライブの視聴者
何を費やす？
時間とエネルギー
ストレス
事務所経費
移動
衣装への出費
何を手に入れる？
（報酬）
給与
利益
ライブやテレビでの講演料
個人としてのブランド力

202

キーポイント:

バックキャスティング：もうひとつのアプローチ

プロフィール:

チームリーダー

名前 ネイト・リンリー

ネイトは電気技師でした。彼は、全地球測位サービス（GPS）のソフトウェア開発会社で、エンジニアのグループを管理する立場にありましたが、仕事への熱意を失っていました。何が間違っているのか分からず、悩んでいました。そこで彼は、ビジネスコーチのブルース・ヘイゼンにサポートを求めたところ、彼はネイトにバックキャスティングを試すことを提案したのです。それは理想的な将来を描き、そこから『リバース・エンジニアリング』の手法で、現在に向かって逆行して構成要素を明らかにしていくのです。

このアプローチを始めるにあたって、ヘイゼンはネイトに4つの短い映画のシーンを書かせました。4つともそれぞれ、自分とあとの2人の専門家が、何か理想的な仕事をして満足しているという設定です。

4つのシーンは、はっきりと1つのことを表していました。どのシーンでもネイトが、チームリーダーやチームビルダーになっていたのです。その上、それぞれのシナリオには全く違う背景が設定されていましたが、ネイトは自分の働く業界のことよりも、彼が果たすチームビルディングの役割を、はるかに詳細に描写していました。

ヘイゼンとネイトは2人で、ネイトの現在と今までの仕事を「分解」していきました。彼らがそこから得たものは、ネイトが描いた映画のシーンのテーマと一致していました。つまり、ネイトが本当に楽しんでいたのは、チームを組み立てて管理することだったのです。人々をリードし、彼らが仕事について様々な考え方をするのをサポートし、仕事を進める上での障害を取り除くことが好きだったのです。

ネイトがバックキャスティングしたステップは

1. マネージャー/リーダーとしての理想的なモデルを描いた
2. 技術マネージャーとしての現行のモデルを描いた
3. 個人の経歴を書き直した
4. 世界トップレベルのマネジメントの専門知識と、
   マネージャーの開発に対する評判を持った顧客を見つける必要性を認識した
5. そのような顧客を探した

ネイトは、バックキャスティングの探究を始めてからわずか1カ月後に、ゼネラル・エレクトリック社に転職しました――際立ったマネジメントとリーダーシップ開発プログラムで有名な会社です。

バックキャスティングとは、
望ましい将来を描いた後、
そこに行き着くために必要となる
指標となる出来事《マイルストン》を逆にたどっていく作業です。

含まれるステップは以下の通りです。

- あなたの理想的なパーソナル･ビジネスモデルを構想し、描く
- 現在のあなたのキャリアを表現するキャンバスを描く
- 現在のモデルと理想的なモデル間のギャップを認識する
- これらのギャップを取り除くために、モデルを構成するブロックを組み立て、必要なアクションを定義する
- 実行する

「未来の物語を創ると、
すでに未来がどれほど
近くにあるのかに
気づきます」
――ブルース･ヘイゼン

未来のモデル

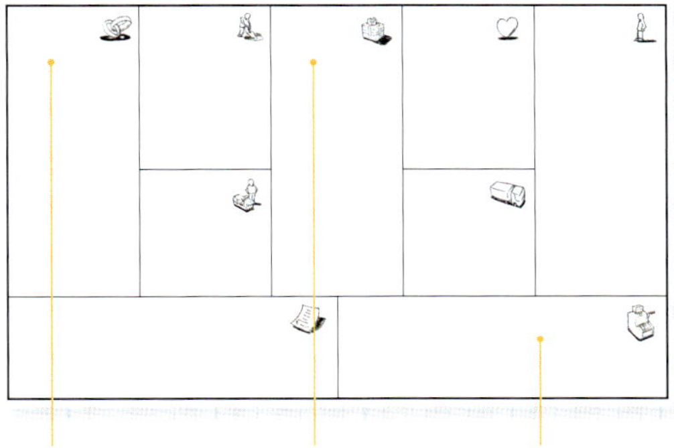

現在のモデル

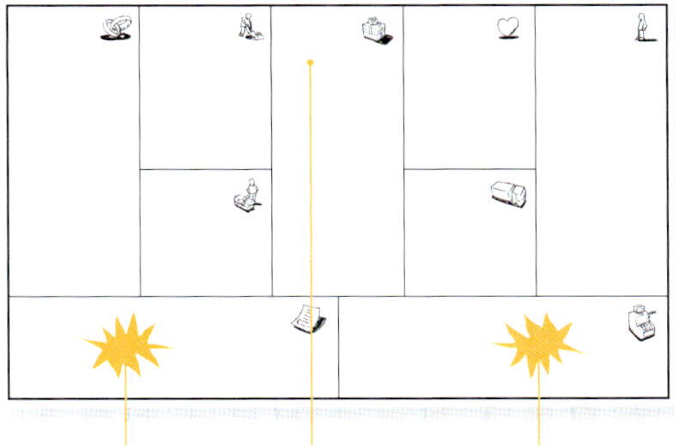

ネイトの本当の情熱――かつ、将来のパーソナル・ビジネスモデル――は、エンジニアリングとソフトウェアにはほとんど関係ありませんでした。全てはチームビルディングやリーダーシップに関することだったのです。

…ですから、彼は自身の物語を書き直す際に、自分の役を、マネジメントをするエンジニアではなく、エンジニアリングを行うマネージャーとして描きました。

あなたの新しい仮説

さて、これまでのところ、パーソナル・ビジネスモデルに関する作業は、ほとんどが紙と鉛筆を使ったエクササイズでしたね？普通に本書を読んできたなら、そのはずです。しかし忘れてはならないのは、紙に描かれたパーソナル・ビジネスモデルは、あなたのワークライフについての仮説に過ぎない——まだテストされていない仮定を含んでいるということです。科学者や起業家は、試作や実験を通じて、仮説をテストします。

私たちも同じことをするべきです。

そこで次章では、あなたの「目的」を共有し、
あなたのモデルを改善するためのフィードバックを
得て、潜在的な「顧客」を明確化し、分析する
——そして、いよいよ新しいパーソナル・ビジネスモデルを
実行に移します。

顧客にとっての、あなたの「ビジネス価値」を考えるところ
から始めましょう。そうすることによって、顧客が
どう採用の決定を行うのか、そして給与や料金を決めるのか、
大きなヒントを得ることができます。

Act 行動する

全てを実現させる方法を学ぶ

CHAPTER 8

あなたの
ビジネス価値を算出する

給与が教えてくれること

CHAPTER 1で学んだように、組織は存続可能なビジネスモデルを必要としています。「存続可能である」ということは、出ていくお金よりも入ってくるお金の方が多いということです（少なくとも、出ていくお金と同じ額のお金が入ってこなければなりません）。
これはほとんどの企業と個人について当てはまります。
本章では、潜在的な顧客があなたのサービスを評価するときの鍵となる方法を学んでいきます。

組織は業績を確認するために、売上と費用が項目別に表示される組織の損益計算書を使います。
損益計算書を見ることで、組織の経営を理解し、
ビジネスモデルが存続可能であるかが分かります。

形式に沿った損益計算書を個人が使用することはほとんどありませんが、
多くの人は似たようなツールを使っています。例えば家計簿を使い、貸借のバランスを保ち、
予算を立てることで、支払いや給与を把握することができます。

個人の例を見ながら、損益計算書について学んでいきましょう。
そうすれば、同じ概念が企業にどのように当てはまるかが分かるでしょう。

エミリーの収入

エミリーは、ジャイアント・シュー社という会社のサプライチェーン・アナリスト。1カ月当たり約4,000ドルを給与で稼いでいます。毎月の支払い後、彼女は450ドルを残し、政府の保険付き預金口座に預け入れています（注27）。

読者のみなさん、毎月450ドルずつ残るのは、利益としては多いと思う方は手を挙げてみてください。

450ドルは妥当な金額に見えますが、ビジネスでは11％以上の利益率になります（これは450ドルを4,000ドルで割って計算します）。収益の11％を残せる会社はほとんどありません。信じられないかもしれませんが、パーセンテージでみると、エミリーは、世界中のほとんどの企業より良い利益率を出しているのです！

しかし、「利益」とは不運な言葉です。多くの人にとってその呪文が呼び起こすものは、初めて車を買うお客をだまして欠陥品を高値で売りつける中古車セールスマンや、損失が未確定の有毒証券を売り歩くウォールストリートの押し売り証券マンなのです。

利益と所得

分かりやすくいえば、いわゆる利益とは、入ってくる資金から出ていく資金を引いた残りのことです。エミリーの場合、彼女の得る利益は、一生懸命に働き、善良な市民でいるのと引き換えに、正当に得たものです。彼女が顧客によく尽くした結果、彼女は利益を手にします。所得を稼ぐことは、重要です。そうでなければ、どうやって退職後のために貯蓄したり、子どもを大学にやる学資を用意したりできるでしょうか？

それは会社も同じです。所得を生み出さなければ、どうやって新しい設備に投資したり、追加のスタッフを雇ったりできるでしょうか？

かかっている経費にようやく釣りあう収入しか得られず、あとに何も残らない（ビジネスでは「損益分岐点」と呼ばれる）のでは、生きていくだけで精一杯で、志ある個人と組織にとって全く情けない状況です。

「所得」と「利益」は、実際には同じものを指しています。しかし「所得」のほうが、より妥当な言葉です。2000年代終わりの米国での金融スキャンダルのような一部の例外はありますが、ほとんど企業は──エミリーが働いているのと同じように──ある程度の所得を生み出すために懸命に働いています。所得は、株主に分配されるか、企業活動に再投資されるか、借入金の返済に充てられます。

1人の従業員と大企業を比較するのは、やりすぎだと思いますか？　そう考えるのはあなただけではありません！　個人が自らの主義に従って生き、目標をもって働く様は、企業活動とはかけ離れたものに見えます。

一面で、それは真実です。確かに人と会社は異なっています。しかしそれでも、私たちを顧客にサービスを「販売」している従業員、請負業者、起業家として見つめ直し、ビジネス用語を使って仕事上の関係性について考えることは、とても役に立ちます。

本書の意義は──組織と従業員双方のために所得を生み出す企業の仕組みについての理解を深めながら──私たち個人を、個人企業として捉え直してみることにあります。

そこで！

所得はどのように生み出されるかについて、詳しく知っておく必要があります。そこで所得の入りと出、つまり収入と支出について話し合うことにしましょう。少し数学が入ってくるのを覚悟してください。その努力はきっと報われます。

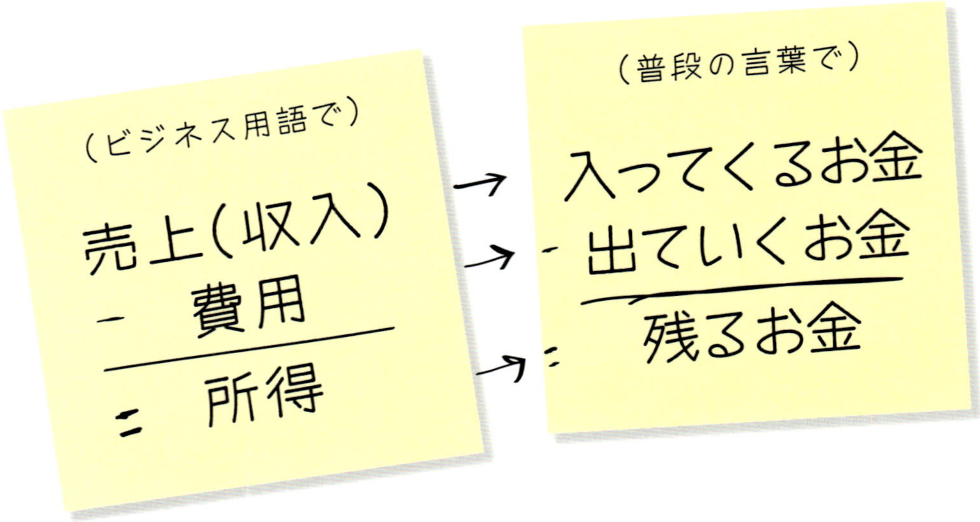

損益計算書

損益計算書は3つのカテゴリーでできています。（1）入るお金、（2）出るお金、（3）残るお金、です。ビジネス用語では、これら3つのカテゴリーは、売上、費用、所得と呼ばれます。

簡単ですね？

企業は、少なくとも年に１回、
損益計算書を作成します。その目的は次の通りです。

- 業績について説明する
- 過度にかかっているコストを特定する
- 売上がどのように伸びたか、落ちたかを分析する

企業の損益計算書は、エミリーの家計簿より複雑です。なぜなら特別費用、税額控除など他の項目を含んでいるからですが、これらの項目は、パーソナル・ビジネスモデルでは考えなくて良いでしょう。

基本の方程式は同じです。

売上ー費用
＝所得

次ページの「企業はどのようにお金を使うか」を見てください。この損益計算書の考え方は、どんな組織でも——営利でも、行政でも、非営利でも使えます。

企業はどのようにお金を使うか

	ビジネス	政府	非営利団体
入ってくるお金 	売上 報酬、手数料 利子 ロイヤリティなど	税 国債 財産の売却益やサービスの手数料	寄付金 贈与 助成金 製品またはサービスの販売 （法律による制約あり）
出ていくお金 	売上原価 給与 賃貸料 光熱費など	公共事業: 教育、保健衛生、国防など 社会インフラ 国債の利払い 公務員給与、諸手当、 年金など	プログラム運営費 給与 賃貸料 光熱費など
残るお金 	株主に分配される、 あるいは再投資される所得 （利益）	国債の償還 （債権の購入者に出資額を払い戻す） 社会のインフラや サービスに対する追加投資	プログラム、設備 あるいはスタッフ増員への投資 （通常、非営利団体は、創設者や出資者に余剰金を分配するのは違法）

手取り給与の本当の意味

下にあるエミリーの損益計算書を見てください。彼女の手取り額（2,880ドル）は、税込給与（4,000ドル）を大きく下回ることに注意してください。源泉徴収、社会保障および他の給与控除（健康保険料を含む）が1,120ドルの差を生み出しています。

私たちは給与控除されている1,120ドルを一種の「収入のコスト」と見なすことができます。つまり、従業員や市民として、エミリーが払わなければならない費用です（彼女は、従業員として、健康保険と退職手当を受けることができますし、市民として、警察や消防、子どものための無償教育、その他の利益を受けることができます）。

当然、エミリーは手取り額を最大にしたいと思うでしょう。しかしこの件に関して、他に選択肢はありません。つまり、従業員として所得を得ている限り（そして、税務署と良い関係を維持したい限り）、税と福利厚生のための給与控除は受け入れなければいけません。結果、彼女の収入コストは給与全体の28%になります。

では、手取りの本当の意味を見ていきましょう。

エミリーが2,880ドルの手取り額から生活費の全てを支払うことを覚えていてください。4,000ドルの税込給与からではありません。

これは明白な事実ですが、企業の基盤（給与はどのように決定されるか）を理解するために大切です。なぜなら企業は──エミリーのように収入を稼ぎだすのに必要なコストを差し引いたあとの──「手取り額」から、費用を支払わなければならないからです。
実際にどうなっているかを見るために、ジャイアント・シューが「手取り給与」をどのように作り出すのかを調べてみましょう。

エミリーの月次損益計算書

給与	4,000ドル
給与控除	1, 120
手取り給与	2,880
費用	
住宅	725
食費	600
医療	125
車	200
光熱費等	175
その他	605
「利益」	450ドル

energy smart
40
10 WATT
GENERAL PURPOSE
SMALLER SIZE!
2700K Soft White
Canada Trust
Your current bill
Total
$79.33
Savings
GREEN
CALCULATING YOUR BALANCE
NEW BALANCE
TAKE YOUR BAG
ELIMINATE

ビジネスの驚くべき真実

ジャイアント・シュー社のビジネスは、原材料の購入から始まります。靴1足当たり約3ドルのコストが必要です。

次に、1足当たり約4ドルのコストで、原材料を組み合わせて靴を作ります。

その後、小売業者に完成した靴を輸送します。1足当たり、約1.50ドルかかります。

完成した製品を実際に販売する場所へ届けるまでには、1足当たり8.50ドルのトータル・コストがかかります。小売業者が1足当たり22.50ドルで買い、ジャイアント・シューは1足当たり14ドルのお金を得ます。

この14ドルは「粗利益」あるいは単に「利益」と呼ばれます。ジャイアント・シューが靴の製造と輸送にかけた、絶対に必要なコストを差し引いた後に残る金額で、これがジャイアント・シューの「手取り給与」と言えます。それは、売り上げた金額の約62.2%に当たります（こののちに、小売業者は、1足当たり39.95ドルで消費者に靴を売るのですが、それはまた別の話です）。

次に、ジャイアント・シューは、様々な経費をその14ドルの粗利益（手取り給与）から支払います。
これらのビジネスの流れが計画的に実行され、商品を全て売ることができれば、ジャイアント・シューはエミリーのように所得や余剰金を得ることができます。

ここで覚えておくべきポイントは、ジャイアント・シューは粗利益（手取り給与）から、全ての従業員給与や他の経費を払っていることです。

ですから会社は、エミリーを4,000ドルの給与で雇っておくためには、「手取り給与」（粗利益）を4,000ドル余分に生み出す必要がありますね？

小売業者へ販売したときの利益率は、約62%でした。4,000ドルの粗利益を得るためには、実際の売上を6,429ドル生み出さなければなりません（6,429ドルの62.2%は4,000ドル）。給与の支払いのような追加コストを補うために必要な売上額は、コストを粗利率で割ることで計算できます（4,000ドルを0.622で割ると6,429ドル）。

ジャイアント・シュー・カンパニー
給与
製造/輸送コスト
売上

あなたの価値を計算する

自分が1カ月当たり4,000ドルの給与で、ジャイアント・シュー社で働くと想像してください。さらに福利厚生費があれば、ジャイアント・シューはあなたの給料以上の金額を当然支払わなければならないでしょう。実際、企業は通常、従業員に払う金額の17%から50%を別途、健康保険、退職金、退職基金、失業保険に支払っています。仮にジャイアント・シューの福利厚生への支払いが給料の25%であるとすれば、毎月5,000ドルが、あなたの給与を払うために必要とされる実際の金額です。

なぜそうなるのでしょう？

1. 会社はあなたへの給与を払うために、4,000ドル必要です。
2. さらに4,000ドルの25%、つまり1,000ドルが別に必要です。それは、保険やその他のコストに支払われます。
3. 4,000ドル+1,000ドル=5,000ドル

従業員のあなたへ払うためには、ジャイアント・シューは毎月5000ドルを手元に確保しなければなりません。この金額は、あなたの給与を支払うための「手取り給与」に必要とされる売上額ではありません。219ページの図は、4,000ドルの給料を払うために、会社が二倍以上の金額で靴を売らなければならないことを表しています。

次ページの「顧客により…従業員に給与が支払われるまで」の表について２点確認しましょう。

最初に、給与を払うために会社は、あなたが実際に受け取る金額よりもはるかに多くの金額を稼ぐ必要があります。

次に、*あなたに給与として支払われている全てのお金は、会社からではなく顧客から来ています。*

あなたを雇うことは、ジャイアント・シューが8,036ドル分、余分に靴を売らなければならないことを意味しています。毎月給与を支払うために、毎月同じ金額の売上が必要になります。

この月々の売上を達成するために、あなたは会社にどう役立つことができるのでしょう？

これこそが、ビジネスモデル思考の要点なのです。つまり、*従業員の価値は、その人が最終的に顧客に与える価値によって、計ることができるということです。*

組織は、あなたを雇うかどうかを、あなたに給与を支払う費用よりも、あなたが顧客に与える価値の方が多いかどうかで、決めています。

顧客が支払うことによって…
最終的に従業員の給与が支払われるまで

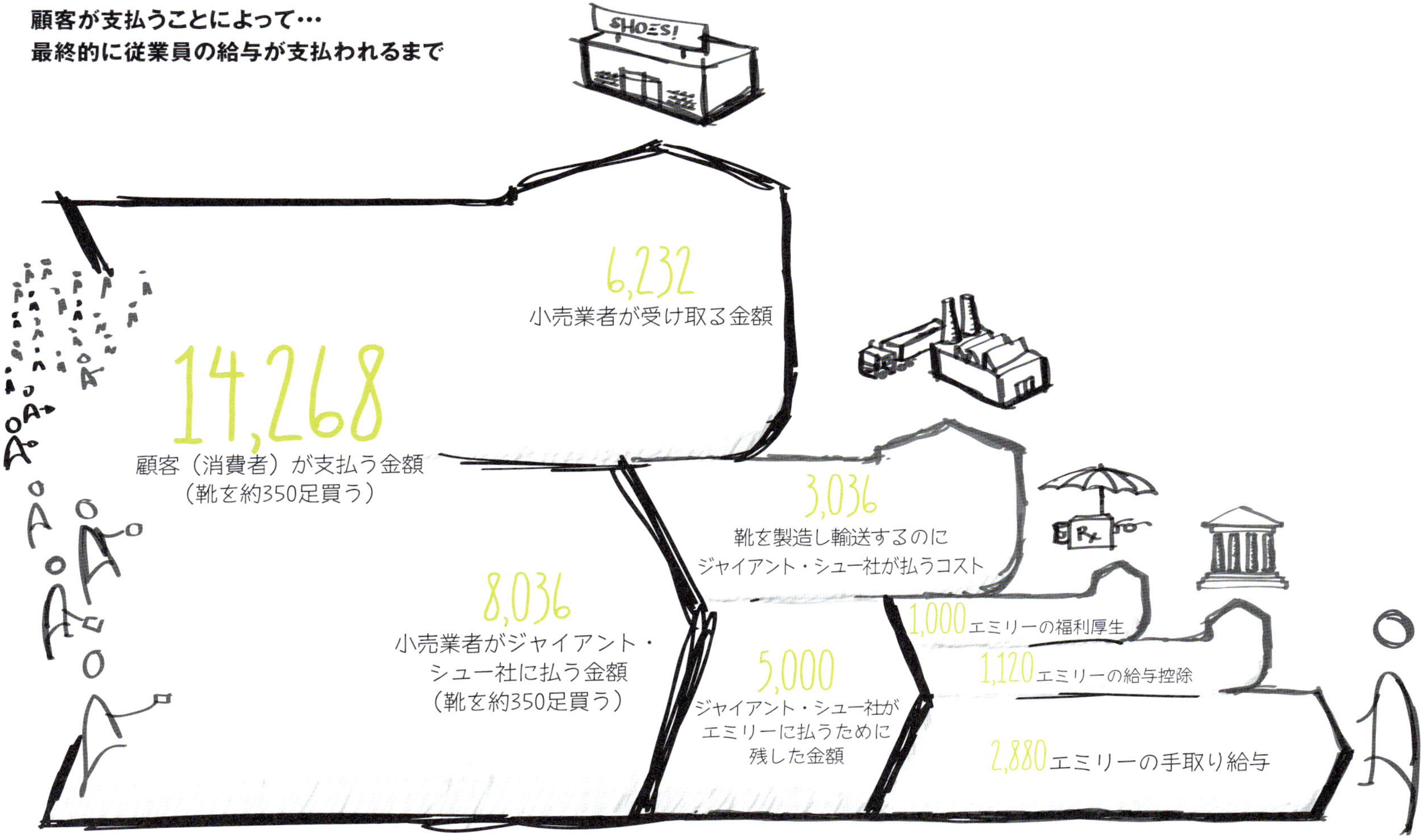

あなたの価値を調べてみましょう

多くの企業は、ジャイアント・シューのように62%もの高い粗利率を享受することはできません。40%の平均的な粗利率を達成する会社で働いていると、仮定してください。

Q:会社はあなたに4,000ドルの給与を払うために、追加でどれだけ売り上げなければならないでしょうか？　福利厚生費は給与の25%であると仮定します。

給与　＋　福利厚生費

＝「全て上乗せされた」給与（給与関連費総額）　÷　粗利益率

＝必要とされる追加販売

A: 1カ月当たり従業員に4,000ドルを払うには、毎月12,500ドルを追加で売り上げることが必要です（4,000ドルに1.25を掛けて、0.40で割ります）。

なぜこんなに高額なのか

経験則から、多くの経営者は、会社が支払う給与の倍の金額を売り上げることが必要だと考えています。従業員の給与がどんな金額でも、それは同じです。

ですから、年に48,000ドルを1人の従業員に支払うとすれば、追加で96,000ドルを売り上げる必要があります。

業界や売上総利益率によっては、経験則から来る必要な売上は、給与の3倍だったりします。

ビジネスを行うのがどんなにコストがかかるものなのか考えると──そして価格決定の仕組みを考えると──なぜ商品がそんなに高いのか理解しやすくなるでしょう。

企業が粗利益を増やそうと、取り付かれたように情け容赦なく奮闘しているのも不思議ではないですね？

組織に対するあなたの価値

率直に言います。自分に年収60,000ドルの価値があると思うなら、あなたを雇うことで毎年120,000ドルから180,000ドルが追加で組織に入ってくると、説明できるようにしておきましょう。

もちろん、人の価値はお金だけで計れるものではありません。しかし経営者は、あなたが顧客に与える価値が、雇うコストに見合ったものかをはかりにかけ、雇うかどうか決断しなければなりません。だからこそ、会社と個人の双方が、ビジネスモデルを理解している必要があるのです。

ここまでに、あなたは次のことが分かるようになったことでしょう。

（1）顧客がどのように、組織にとってのあなたの価値を決めているか

（2）あなたの望む給与や報酬は、どのように決定されるか

この問題に関して、十分に考えてみてください。なぜなら次章で、あなたのパーソナル・ビジネスモデルがうまく機能するかどうかのテストを行うからです。

用語解説

収入
入ってくるお金

費用
出ていくお金

所得／利益
入ってくるお金から出ていくお金を引いた残り

損益計算書
法人の一定期間内の収益と費用をまとめたもの、通常3カ月毎あるいは1年毎

売上
サービスや製品を売ることによって生まれたお金

総収入
売上と利子、賃貸料、ロイヤルティ、その他の収入を足し合わせたもの

粗利益、または売上総利益
売上から商品やサービスのコストを引いたもの
（通常は売上のパーセンテージで表される）

商品コスト、または売上原価
販売商品またはサービスの販売者への直接的な原価

損益分岐点
入ってくるお金と出ていくお金が同じになるポイント

全て上乗せされた（給与）コスト
従業員の給与にかかるコスト
給与自体に加えて、健康保険、退職手当、社会保険、税金などが含まれる

CHAPTER 9

モデルを
現場でテストする

224

名前 シド・カニッツァーロ

キーポイント:
シドのモデルをテストする

プロフィール:
リサイクル・コーディネーター

シド・カニッツァーロは、ようやく自分の目的を決めることができました――それは、リサイクルや責任をもってゴミ処分ができるように人々をサポートすることです。

彼女は何年にもわたり、環境問題への情熱を共有する友人と、リサイクルやゴミ処理に関し熱心に議論してきました。2人はこの活動を、「ゴミに関するおしゃべり」の意味と「愚にもつかない雑談」の意味をかけて「トーキング・トラッシュ」と冗談めかして呼んでいました。しかし顧客サービス訓練の職を解雇されたとき、シドは決意したのです――「トーキング・トラッシュ」の活動は、単なる趣味で終わらせるのではなく、天職として取り組むのだと。それからリサイクルについて教えるという、「意義ある仕事」を探し始めました。

シドは、自分の新しいパーソナル・ビジネスモデルを、すぐにテストしてみました。

しかし、リサイクルのトレーニングにお金を払う**顧客**は見つけられませんでした。そこで彼女は計画を再考。廃棄物処理責任についてもっと知識を深めるために、地元のオーガニック食料品店のデリカテッセンに勤めました。

彼女はリサイクル関連の組織に所属はできませんでしたが、「トーキング・トラッシュ」の**目的**を明確に書いた、印象に残る名刺を作りました。

リサイクル分野での新しいパーソナル・ビジネスモデルがうまくいくためには、何が必要なのか？　その答えを探すために、彼女は環境に優しい商品に関する会議や、ゴミ処理に関する討論会、リサイクルを行っているコミュニティの集まりに参加するようになりました。

そうするうちに様々な組織から「トーキング・トラッシュ」のメッセージへの関心が寄せられるようになりました。彼女は、出会った業界専門家からのフィードバックに応じて、**自分のモデルを修正**、目的に近いプロジェクトを引き受けていきました。そしてある日、彼女のメッセージは、心から共感してくれる自治体の環境問題対策チームのメンバーに届いたのです。

現在、シド・カニッツァーロは、自宅近くの市のために、フルタイムのリサイクル・コーディネーターとして幸せに働いています。

あなたのモデルは顧客の現実とマッチしていますか?

シドのように、あなたが大きなキャリアチェンジを考えているなら、新しいモデルが機能するための必要条件や、その実行可能性をテストすることが大切です。紙で書かれただけのパーソナル・ビジネスモデルには、現実にはうまくいかない仮説が、各ブロックにいくつも含まれています。*自分にとってはいい提案でも、本当に誰かの役に立つ提案なのか、まだ検証されていないのです。*

顧客を見つけ、顧客と話し、顧客を得ることが、パーソナル・ビジネスモデルのテストになります。その一番良い方法は、経験豊富な起業家が新製品やサービスのビジネスモデルをテストするときに行っている方法──見込み客と話してみることです。

そこでお薦めしたいのが、数々の起業家たちや、新規事業立ち上げの指導者スティーブン・ブランクにより開発されたプロセスです。ブランクは顧客が何を必要としているか、何に喜んで支払いをするのかを理解する方法について述べています。客観的で再現性のあるプロセスが重要です。なぜなら、多くの会社（そして失敗した起業家たち）は顧客について詳細に理解する前にサービスや商品を開発し、売ってしまうからです(注28)。

例えばモトローラ社は、グローバルな衛星携帯電話システムを必要とする顧客がどの程度いるのかを把握しないうちに、イリジウム·サービス事業の開発·発売を行い、50億ドルも使い果たしました（間違いではありません。*50億ドル＝約4000億円ですよ！*）。同じように、たばこメーカーのR.J.レイノルズ社は4億5000万ドル（約360億円）を、煙が出ないたばこ（「プレミア」と「イクリプス」ブランド）で失いました。非喫煙者はこのコンセプトを歓迎しましたが、顧客（喫煙者！）は、煙の出ないたばこなど、どうでもよかったのです。

行動する前に、賢い起業家は徹底的に組織のビジネスモデルをテストし、評価しています。私たちもそれに倣って、*個人のビジネスモデル*を価値あるものにしていきましょう。

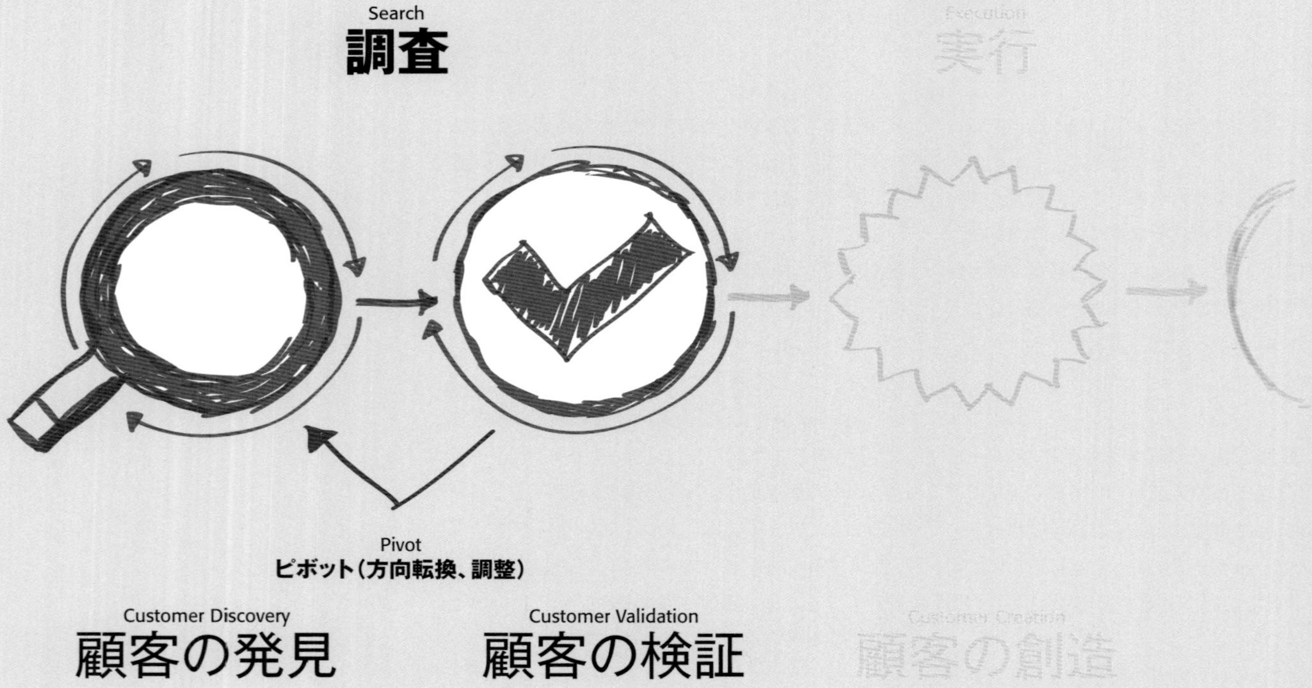
Search
調査
Execution
実行
Pivot
ピボット（方向転換、調整）
Customer Discovery
顧客の発見
Customer Validation
顧客の検証
Customer Creation
顧客の創造

ビジネスモデルをテストするには

パーソナル・ビジネスモデルの仮説検証は、実際に見込み客と会うことで行いましょう。１ページにまとまった、パーソナル･キャンバスを使い、各ブロックを見ていきます。顧客からのフィードバックにより変更の必要を感じたら、対象となるブロックに戻り修正してください。このプロセスを「ピボット《方向転換》」と呼びます。他の見込み客からもフィードバックを得て、このプロセスを繰り返し行ってください。

あなたのモデルが正しいと思える場合、顧客に実際に「売る」ことでモデルの有効性を確認してください。もし自分自身や自分の提供するものが売れなかった場合、再びピボットし、売れなかった理由を反映して、モデルを修正してください。顧客に売れた時が、あなたの就職がうまくいったか、──あるいは起業家として新たな顧客を獲得していく準備ができたということです。

外に出ましょう!

顧客の発見は「建物から出る」ところから始まると、スティーブン・ブランクは言っています。キャリアカウンセラーは、それを「ネットワーキング」と呼んでいます。この2つは同じことを指しています。つまり潜在的な顧客、専門家、さらには潜在顧客や専門家を紹介してくれる紹介者と連絡を取り、実際に会ってほしいのですが、それは結局、あなたのモデルが有効かどうか見極めることにもなります。

あなたのビジネスモデルを組み立てているブロックには、多くの仮定（仮説）が含まれていることを思い出してください。キャンバスのどのブロックも、顧客に会ってテストする必要があります。例えば次のようなことです。

・あなたが役立ちたいと思い、応えるべきニーズに関心を持っている顧客はいますか？　そのような顧客は、報酬ブロックで説明されているとおりに、喜んで支払いをしてくれますか？（シドは初めそのような顧客を見つけることができませんでした）

・約束した価値を届けるのに必要なキーリソースやキーパートナーを、あなたが持っていると、顧客は確信していますか？　また、あなたが提案しているキーアクティビティは、与える価値を届けるのに充分なものですか？

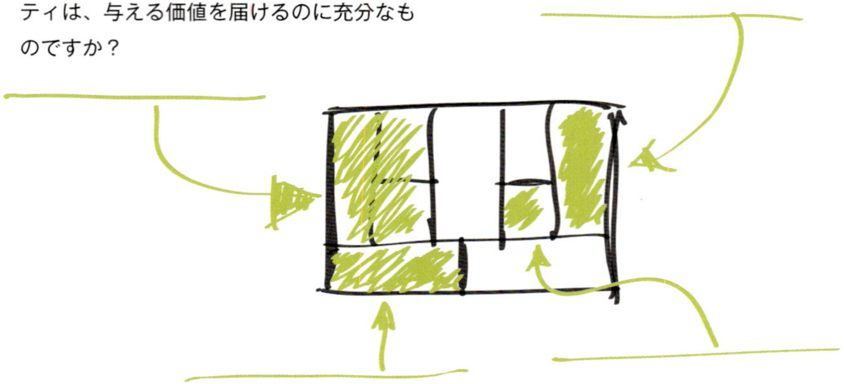

・あなたは、モデルを実行するために必要なコストを負担できますか？

・顧客はどのチャネルを使って連絡やサービスを受けたいでしょうか？　顧客との適切な関係を提案できていますか？

これらの質問には、実際に現場にいる潜在顧客と話すことでのみ、答えてもらえます。

顧客を効果的に見つける鍵は、「売り込み」を避けることです。ミーティングでは、顧客から見てパーソナル・ビジネスモデルが有効かどうか、評価してもらうことに集中しましょう。ブランクも言っているように、顧客はこんな問題を持っているだろう、こんな機会を望んでいるだろうと勝手に想定して、説得しようとしてはいけません！

最初は親しい人から始めましょう。家族、友人、近所の人、同僚、教会や専門職の集まりで会う人、あるいはその他の、あなた自身の人脈でつながっている人と話してみます。その人たちには、新しい目標に向かってキャリアを再構築しているところだと言いましょう。

そして、あなたの目標に仕事上、興味を持ちそうな人がいるか、尋ねてみてください。できるだけ多くの名前と連絡先を教えてもらいましょう。こうして紹介を受けることで、あなたのネットワークは広がっていきます。

次に、**新たに紹介された人に連絡をとってください。**基本原則は、このような「友好的な」人間関係――つまり友人の友人、あるいは少なくとも知人の知人として、連絡をとることです。紹介なしでの「売り込み電話」は避けてください。

「あなたのキャリアで起こる素晴らしい出来事はすべて、知人から始まります。ネットサーフィンをする必要はありません。怪しげな技術や新しい情報を知ったからといって、突破口にはなりません。大きな波は、あなたの近くにいる人から来るのです。人と出会いにいきましょう」
――デレク・シバース

ほとんどの専門家は、他の専門家とお互いの興味について語り合うことに関心があります。

ですから受話器をとり、電話をかけ、会う約束をしましょう。相手が躊躇したり、詳細を問い合わせてくるようなら、**あなたに会うことでどんなメリットがあるのかを話してみましょう。**たとえば、次のような感じです。

「この課題に関して、あなたのご見解をぜひお教えいただけないでしょうか。こちら側からは、サステナブルな物流の未来に関する私見や展望をお話しできたらと思います。次の火曜か水曜の夕方はいかがでしょうか？」

もし同意してもらえた場合は、ミーティングの約束をしてください。そうでない場合は、他の人の紹介をお願いし、割いていただいた時間に感謝し、次の人に移ってください。

ただそれだけのことです。多くの人が、電話するのが苦手で、苦行だとさえ言う人もいます。*しかし10回電話をすれば、必ず何かが起こります。*

初めて紹介された人と連絡をとるところですね？

深く息を吸って、電話をとって、つぎのように話してみましょう。

「こんにちは、メアリエレン。エミリー・スミスです。サリー・マコーミックさんよりご紹介いただき、お電話しております。私は物流を専門にしていまして、組織全体へサステナビリティを浸透させるための新しい方法に積極的に取り組んでいます。あなたがこの分野のエキスパートであると伺っており、よろしければ、あなたご自身そして御社が、どのように問題にアプローチしているのかを教えていただきたいのです。来週のどこかで、コーヒーでもご一緒できればと思いますが、火曜日か水曜日の夕方に20分ほどお時間をいただけませんでしょうか？」

息を吐いて、リラックスしてください。そして返事を待ちましょう。誠実に話していれば、いい返事を得られるでしょう。

もっと先へ

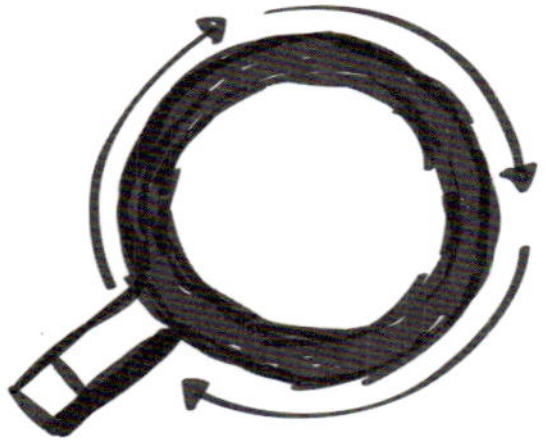

最初に尋ねる質問をいくつか挙げてみましょう。すぐに話し合いに入るため、そして相手の個人または組織のビジネスモデルを理解しやすくするためにする質問です。

「________________の分野では、どのように活動を始められたのですか？
それから、________________社には、
どんな経緯で入社されたのですか？」

「最近は、どのように________________の目標に取り組んでおられますか？」

「御社の________________に対する問題意識を共有しているのは誰でしょうか？　顧客でしょうか？　それとも取引先でしょうか？　行政の規制担当者でしょうか？　それとも地元のコミュニティメンバーでしょうか？」

「どのようにして、その経済効果を測っておられますか？」

運が良かったなら、相手は自分が満たしてほしいニーズやキーパートナーをはじめとしたモデルの要素について、ヒントをくれるか、更には腹を割って話してくれるかもしれません。もしそうなら、質問を続けながら、理解したことを自分の言葉に置き換えて言ってみましょう。あなたの解釈に相手が熱心に同意するまで、このプロセスを続けます（この時点で、しっかりと理解しておけば、あとからあれこれ思い返すことなく、すぐに調査や、この顧客への提案準備に集中できます）。場合によっては顧客が、あなたの与える価値や、モデルが持っている他の要素について、尋ねてくることさえあるかもしれません。

ミーティングが非常にうまくいった場合――その場がどの程度正式なものか、あなたがどの程度の仕事を申し出ようとしているかにもよりますが――すぐその場で、共同で働くことを提案したくなるかもしれません。そのような場合のため、仕事の進め方の詳細や報酬についても話し合う心づもりをしておきましょう（CHAPTER 8を参照）。

提案書が必要と判断した場合は、どのように相手の役に立てるか自分に考えがあることを伝え、提案書を提示していいか聞いてみましょう。見込み客の目標に深い関心を持ち――そして、あなた自身が目標達成の課程の一部になりうる立場をとることで、あなたと見込み客の距離はもっと近くなります。

ミーティングの後、あなたが学んだことを熟考してください。自分のモデルの実行可能性、そして相手の組織のモデルについて、より深く理解する必要があるのです。

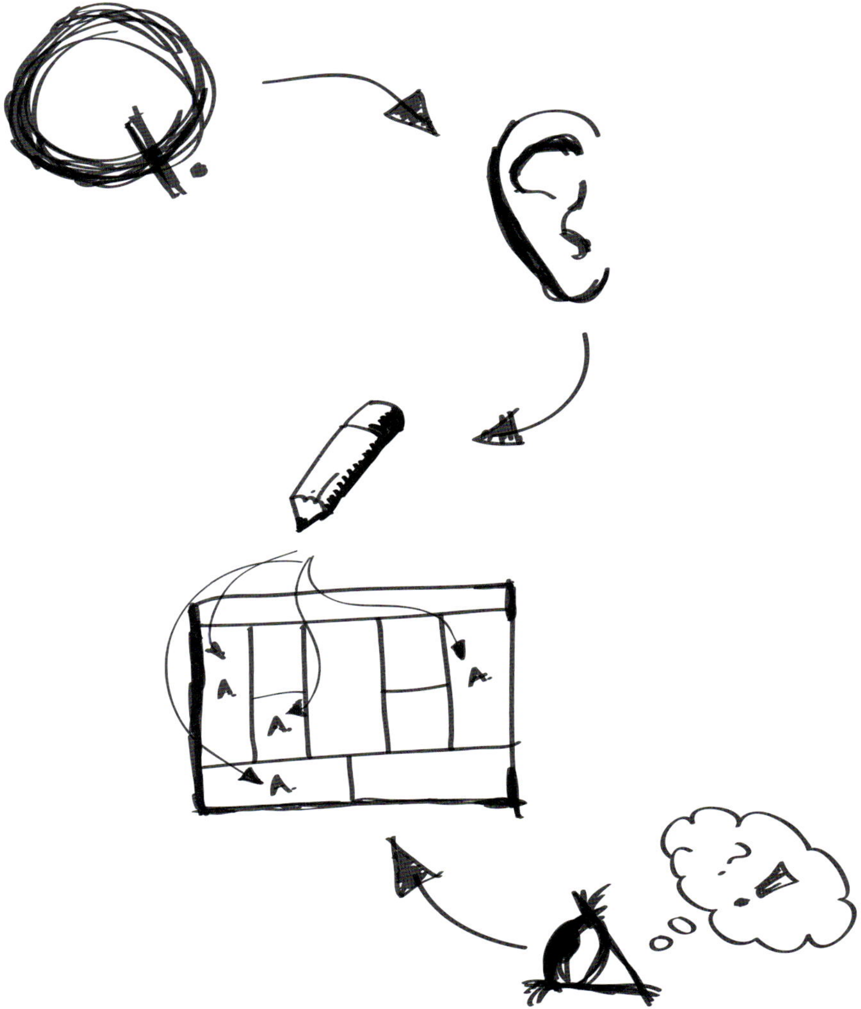

秘密の質問

ありきたりの会話から大きなヒントを引き出すための、魔法のような質問があります。

「・・・について、私は、その他にどんなことを知っておくべきですか？」

例えば、インタビューが終わる直前に(p.229)、エミリーがメアリエレンに必ず聞いたほうがいい質問は、

「そうしますと、御社のような環境問題を推進するために私は、その他にどんなことを知っておくべきですか？」

なぜこの質問が、それほど強力なんでしょう？　その理由は、ほとんどの専門家は、自分の業界での困難、可能性、仕事の浮き沈みに関して何らかの持論を持っていて、そうした思いを誰かと分かち合う機会を待っているからです。だから、あなたはただ質問を投げかけさえすればいいのです──相手が苦労した経験から得た洞察を、熱心に聴く誠実な聞き手として。

各ブロックに書き込まれている仮定が適切か確認します

見込み客とのミーティングが終わるたびに、あなたが新たに学んだことと、いままでの仮説を比較してみましょう。ミーティングを数回行うと、どのブロックに書き込まれた仮定を変更しなければならないか、分かってくるはずです。

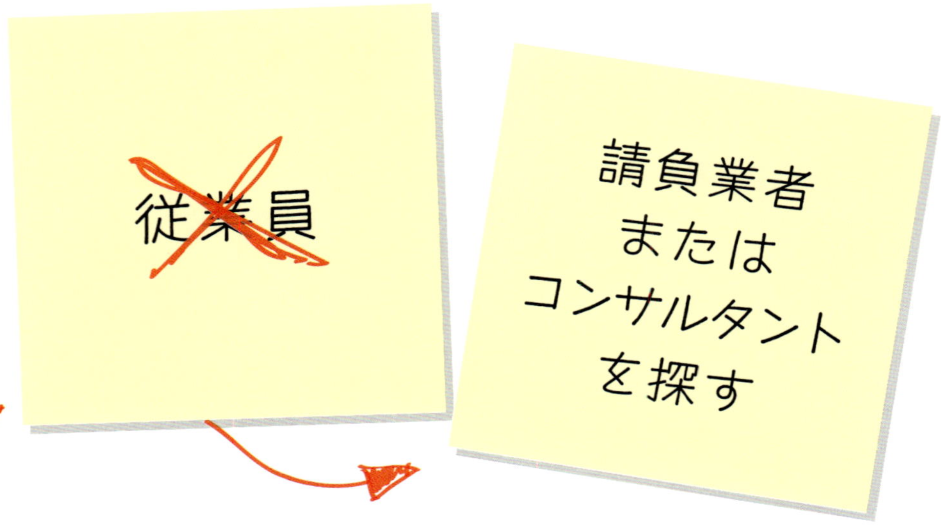

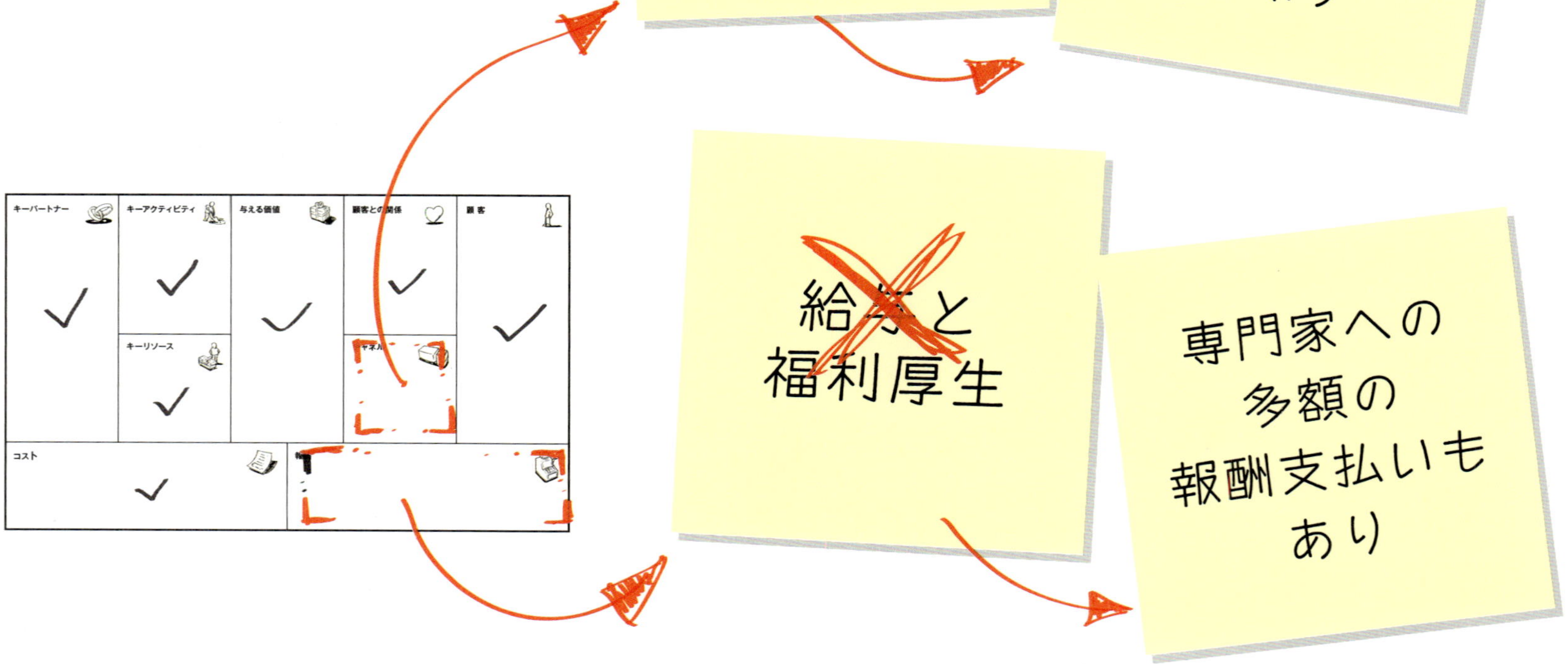

起業家になる決断

最初は従業員や契約社員になるつもりだったかもしれませんが、モデルを検証しているうちに、自分で会社を始める方が望ましいと気づくかもしれません。反対に、初めは自分で起業するつもりだったのに、魅力的な雇用主が現れ、正社員や契約社員としての職を用意してくれることも考えられます。

どちらにしても、あなたの起業家精神が試されることになるでしょう。つまり自分のベンチャーを始めるべきか？　それとも大きな組織において、あなた自身のビジネスモデルを適合させようとすべきか？

この問題は『ビジネスモデルYOU』の範囲を越えていますが、2つの考え方を提供します。(1) 自分で起業する決断をくだす前に、マルケル・ガーバーの初期の著作を必ず読むこと。(2) 普通の人にとっては、個人としても仕事上でも、起業するより勤め人でいた方がいいはずだということ（ただし、本書の読者の中には起業家精神にあふれた普通でない人もいるでしょう！）

個人のビジネスモデルが相手の共感を得られなかった場合

自分のビジネスモデルの話をしたとき、相手は身を乗り出して聞いてくれていましたか？　そうでなければ何か原因があるかもしれません。

あなたのモデルは感情に訴えかけるものですか？　もしそうでなければ、使っている言葉がシンプルで分かりやすいか、専門分野に適したものであるか確かめてください。広告コピーが良くなることで、劇的な違いを生むことがあります。

あなたのモデルは、現実の経済活動として、問題を解決したり新たなチャンスを得たりするためのものですか？　社会的、政治的に意義がある活動でも、それだけで組織がお金を出すことはまずありません。顧客にどのような経済効果をもたらすことができるのか、見直してみてください。

モデルの重要な一部である、あなた自身は信頼されていますか？　モデルを実行するためのキーリソース（動機、実績、専門知識、そしてスキル）があなたにあると、顧客は信用してくれていますか？　見込み客が自分をどう見ているのか定かでない場合は、実際に尋ねてみてください！

財務の「配管工」

クビにされた後、ジャン・キンメル（物理学を専攻した、実績あるビジネスウーマン）は、パーソナル・ビジネスモデルづくりに着手。その結果、自分の新しいモデルは、財務と現場作業の融合にしようと決意しました。この二つの分野は、まず一緒にされることはないのですが、本来そうあるべきだとジャンは言います。しかし残念なことに、新しく明確にされた彼女の「目的」は、聞き手に共感されませんでした。

そこでジャンは、印象に残るセールスメッセージを作りました。それは次のようなものです。

「私は財務の配管工です。会社の財務システムで漏れていたり、詰まっていたりするところを特定し、現場と組んで修理し、利益を流す作業を得意とします」

ジャンの比喩は稚拙に聞こえるかもしれません。しかし、それは新たに紹介された製造会社の人の共感を呼びました。今、彼女は精密機械メーカーで働き――あなたの想像通り、財務と製造現場管理を連動させているのです。

顧客に
実証してもらう準備

あなたの興味をひく組織を見つけたとします。そのうちのいくつかは、あなたの良い顧客になるかもしれません。もし今、あなたに売り込みをかける心づもりがあり、是非その組織を顧客にしたいと思うなら、お勧めのステップは——

1. その組織を、調査する
2. 意思決定者と会う機会を設ける
3. 特定の仕事に関して、組織の役に立つ提案をする

見込み客を調査する方法をいくつか挙げれば——展示会や業界イベントに参加する、専門家やアナリストと話す、近い分野の会社を訪問する、その分野の専門誌や一般誌を読む方法などがあります。目標は、見込み客の立場から眺めてみること。あなた自身を含め、世界が、彼らにどう見えているか知ることです。

ただ、今はまず、あなたの秘密の武器に焦点を合わせましょう。つまり、ビジネスモデルを明確化し、描き出し、分析する能力です。見込み客のビジネスモデルを描く以上に、彼らをより良く理解する方法があるでしょうか？

「インサイダー」データをどう入手するか？

見込み客が、公開企業のように連邦証券取引委員会にドキュメントの提出を要求されている場合は、EDGARデータベース(sec.gov/edgar.shtml)を通じて情報が得られます。このデータベースは公的に運用され、無償で利用でき、投資家、ＭＢＡ、情報通のビジネスマンの間ではよく知られているものです。見込み客の財務情報、戦略的情報がずらりと並んでいることに驚くことでしょう。

見込み客１～２社のビジネスモデルを図解してみましょう。各ブロックの要素を付け加えたり、除いたり、増やしたり、減らしたりしながら、実験してみます。

与える価値を簡潔に定義し、どのブロックが痛みどころ（Pain Point）になっているのか考えてみてください。競合他社には、どんな対抗策を取りましょうか？　自社のビジネスモデル改革をしたら、効果的に適応できるでしょうか？　効果的に対応できるでしょうか？（ついでながら競合会社も、あなたの良い顧客になるかもしれません）。

１つの痛みどころは、間違いなく財務です。ほとんどの組織は収入を増加させるか、コストを下げることを望んでいます。もしあなたを雇ったら、あなたの与える価値が組織にどれだけの経済効果をもたらすのか、概算でも良いので計算してみましょう。

見込み客があなたに満たしてほしいと考えられる重要なニーズは何か考え、それが分かったら、今度は逆算していきます──どんな与える価値が、そのニーズを満たすのに役立つでしょうか？　与える価値を生み出すキーアクティビティはなんですか？　必要なキーリソースはありますか？　ない場合、キーパートナーの協力を得ることができますか？　外部環境の変化が、顧客のビジネスモデルにどう影響しているか、あなたは説明できますか？　そして顧客が変化に適応するために役に立てますか？　さあ、見込み客のために、ビジネスモデル思考力を開放するときです。そして、あなた自身のためにも。

オンラインマーケッター

チャーリー・ヘーンは、ありふれたビジネスの学位を取得した後、就職することはありませんでした。ヘーンは友人からの紹介で人脈を辿るのではなく、はじめから直接トップを目指していきました。彼が尊敬しているベストセラー作家や映画製作者に営業電話をかけ、無料オンライン・マーケティングサービスを売り込んだのです。戦略はうまくいき、まもなく収入を稼ぐ仕事になりました。今や彼の顧客リストにはセス・ゴーディン、ティム·フェリス、タッカー·マックスらが名を連ねています。

意思決定者に売る

あなたの目標は、見込み客である組織の意思決定者に会い、パーソナル・ビジネスモデルを売り込むことです。そのために人脈づくりのテクニックを使い、アポ（面談の約束）をとります。実際に会って話すときは、あなたのモデルの中でも、どのように見込み客の役に立てるかという側面に焦点を合わせます。目標は、あなたが顧客のために働く提案をすることです。相手に断られたら、あなたはピボットをして自分のモデルを見直せばよいのです。

できる限り親しい紹介者を通して、意思決定者にアプローチしましょう。いままで築いた人脈の中で、見込み客と直接働いている人が見つからないとしても、あなたはすでに、その分野に明るくなっているはずですから、まわりに紹介してもらうように少し努力するだけで、つながりを得られるはずです。

一方で、紹介なしに意思決定者に直接、大胆にアプローチすることも可能です。業界や相手の個性によっては、最強の選択肢となるかもしれません。

意思決定者に連絡するときには、次のように言ってみてもいいでしょう。
「御社は＿＿＿＿＿＿＿に対して、非常に関心をお持ちかと思います。その件で私は強力な具体策を持っておりますので、ぜひ会ってご説明させてください」

もしこのレベルまでビジネスモデルの検証を突き詰めたなら、相手方にも温かく迎えられるでしょう。

アポを取りつける

意思決定者にどのようにアプローチするかを決めたとしても、全米販売管理者協会による調査結果は、あなたの行動を変えるものになるかもしれません。

- 成約の2%は最初のコンタクトで決まります。
- 成約の3%は２回目のコンタクトで決まります。
- 成約の5%は３回目のコンタクトで決まります。
- 成約の10%は４回目のコンタクトで決まります。
- 成約の80%は５回目～ 12回目のコンタクトで決まります。

ですから、たった２、３回、または４回ぐらいアプローチして、返事がなかったからというだけで諦めないでください。粘り強さが、アポを勝ち取ります。

意思決定者に会ったときは、顧客の具体的ニーズの把握が間違っていないか、あなたが理解しているところを大まかに話してください。そして理解が正しいか確認し、修正すべきところを尋ねましょう。

理解が正確な場合は、相手はこのように言うかもしれません。「どのようにして、この問題を解決できると思いますか？」（あなたが聞きたい言葉ですね！）

一方で、あなたの理解が正確でなかった場合、相手は組織が直面する実際の機会や問題をさらに詳しく説明するかもしれません。ミーティングがどう展開するかにかかわらず、顧客の役に立つ提案をするという目標に意識を集中します。

どんな状況か、その場がどの程度正式なものかによって、口頭なり書面なりで相手の役にたてるような提案をすることができます。

相手が提案書を提出することを受け入れてくれるのであれば、１週間以内に送ることを約束しましょう。それから感謝を述べて、退席してください。帰ったらすぐに、お礼の短いメールの中で、（1）提案で合意された事項、（2）いつそれを届けるか、を確認してください。

もし相手があなたの申し出を断ってきたら、別の見込み客にアプローチを行うときです。複数の顧客があなたの申し出を断る場合は、ピボットを行います。パーソナル・ビジネスモデルに立ち戻って、顧客のニーズに合うように修正しましょう。

1ページにおさまる提案

意思決定者は、短く簡潔な文書を好みます。ですから圧倒するほど魅力的な提案を１ページに要約してください。重要なことは、この1ページの概要の向こうには、後日会う時でなければ、あるいはもっと長い文書でなければ説明できないような詳細が準備されていることを分かるように示しておくことです（注29）。

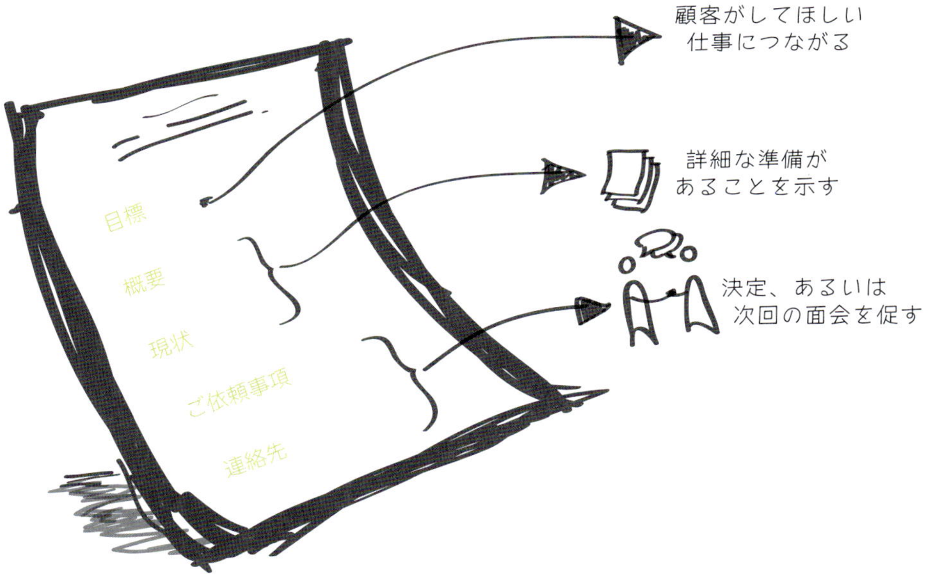

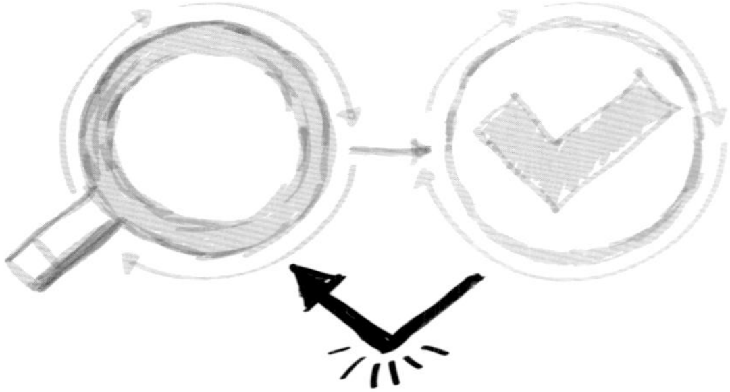

モデルを改善するピボット

ピボットとは、見込み客のフィードバックに応じて行動をとることで──あなたのモデルをもう一度見直し、いくつかのブロックの修正により、改善していくことを意味します。顧客が満足していない時に、あなたがとるべき適切な方法です。

ピボットを行えば、シドの例のように、全く新しい顧客を見つけられるかもしれません（224ページ）。あるいは、ケンのように、チャネルを修正することが突破口になるかもしれません（67ページ）。それとも、デニスが行ったように、複数ブロックを再考する必要があるかもしれません（239ページ）。

ピボットはあなたを「顧客の発見《Customer Discovery》」段階に立ち戻らせます。モデルを更新後、もう一度、紹介された人とのミーティングを始めるのです。新しいモデルを売る準備が整ったと思ったら、「顧客の検証《Customer Validation》」段階に再びトライします。自信を持ってください。*あなたは成功し、顧客を勝ち取ることになるでしょう。*

キーポイント:

モデルを市場に一致させること

プロフィール:

コンピューター技術者

デル・コンピューターの技術者だったデニス・シーは、仕事でのストレスに悩まされていました。そこで独立し自分の運命を自分で決めようと考え、早期退職を決断しました。

彼は技術的な仕事が好きでしたので、コンピューター販売店を買収し、経営するビジネスモデルを描きました。

このアイデアを検証するために、デニスはビジネスのブローカーを訪ねました。ブローカーはデニスに2つのことを勧めました。(1) 売り出し中のコンピューター販売店の財務諸表を調査すること (2) 性格診断を受けること。

デニスは両方を行い、(1)　コンピューター販売店は、売上高に対し利益は少なく、収益性の低い事業であることを知りました。また (2) 彼はカスタマーサービスができる資質を欠いていました。自分の強みである技術的タスクに集中し、人と接することは避けた方がよかったのです。

デニスはピボットを行い、彼のモデルを修正。コンシューマ相手ではなく、技術を理解するBtoB企業を顧客とする方針に変えました。

候補企業はすぐに現れました。工業用の計測機器の販売、サービス、測定、認証を業務内容とする会社です。それは最初のビジネスモデルを考えているうちは、おそらく見逃してしまった会社でしょうが、デニスのニーズにはぴったり合っていました。彼の技術的なスキルを活用できますし、技術に慣れていない顧客との接触はほとんどありません。ストレスを低く抑えながら、独立してやっていくのに充分な収入を得られる事業だったのです。

デニスはその会社を買収し、今は事業主として働くことを――ときにはショートパンツとTシャツ姿で、楽しんでいます。

名前

デニス・シー

239

あなたの新しい仮説

顧客があなたを雇うとき――あるいはあなたが望ましい顧客を見つけたとき――その瞬間が、まさにあなたのパーソナル・ビジネスモデルが有効だと実証されたときです。ついに実行段階まできました。新しいビジネスモデルは離陸したのです。おめでとう！

ここまで長い道のりだったと思います。本書のエクササイズを1～2個行っただけか、あるいは全て通して行ったかに関わらず、今後もあなたのモデルに取り組み続けてもらいたいと、私たちは望んでいます。少なくとも、あなたがワークライフを「計画する」よりもむしろ「モデルを作る」方法を取るよう望んでいます――つまり自分の核を成している行動原則を明確化し、不変の指針として扱うことです。

パーソナル・ビジネスモデルとは、ある意味、「関係性の地図」であることに、
お気づきになったかもしれません。**あなたはどんな人か**ということは、
あなたならではの、**大事な仕事**や**取り組み**につながり、
その**大事な仕事**や**取り組み**は**どう役に立ちたいか**につながります。
最も重要なことは、モデルが表しているのは、**誰の役に立ちたいか**という問いで
明らかにされた、誰かとあなたの関係性であり
――さらには目的を通じて、あなたが奉仕する、
より大きなコミュニティとの関係性でもあるということです。
優れた地図が長く探検家たちを導くのと同様、パーソナル・ビジネスモデルは、
仕事と人生を成功へと導くくり返し使える方法論なのです。

CHAPTER 10

次に来るものは？

『ビジネスモデル YOU』の多様な使い道

キャリアチェンジは避けられないときがあります。組織がビジネスモデルを変更した場合、従業員もパーソナル・ビジネスモデルを修正する必要があります。その良い例が、フォーラムメンバーのマキス・マリオリスです。

マキスは国際的な金融会社に、プログラマーとアナリストを統括するマネージャーとして、長年、勤めてきたのですが、彼の顧客はたったひとり――ギリシャ支店のトップだけでした。しかし、キャリアチェンジの機会は突然訪れました。ギリシャ以外の８カ国で働くよう、辞令が出たのです。それは、飛行機で各国を頻繁に飛び回ることを意味していました。彼はまず頭に浮かんだ思いと闘いました――*飛行機恐怖症だったのです。*

マキスは新しい仕事を行うために、パーソナル・ビジネスモデルを創り直す必要がありました。今まで異文化交流の経験がほとんどなかったにも関わらず、一瞬にして彼は──国籍から働き方、スタイル、倫理観までまったく違う── 8カ国の「顧客」と働くことになりました。

いままでマキスは身近な同僚の業務計画や調整に、余裕をもって能力を発揮してきたのですが、今度は、新しい「顧客」に対し、ITインフラストラクチャー・ライブラリー (ITIL)のプロセスを採用・維持するよう説得しなければなりません。そのためには、新しいキーアクティビティを追加する必要がありました。具体的には、「販売」や頻繁な飛行機での移動、長期ホテル滞在、対面ではなくメールや電話での顧客との連絡です。

新しい役職に就くことで収入も上がりましたが、それよりも仕事上での成長という大きな報酬がありました。マキスによれば、最も大きな報酬は、国際的に活躍できたことと、単なる管理者ではなく「プロセス」全体に責任を持てたことだったのです。彼は新しい役職で成功し、より責任ある地位に昇進しました。

不幸なことに、その後発生したギリシャ財政危機の影響で、会社はやむを得ずマキスに退職勧告し、彼は受け入れました。しかし、彼が学んだビジネスモデルの教訓は、その後も役立っています。

「パーソナル・ビジネスモデルの概念は、キャンバスの各ブロックで足りないものを埋めるのはもちろんのこと、新しい役職を果たすために何が必要か考える際、とても役に立ってくれました。大変な状況でしたが、充分に得たものはありました」とマキスは言っています。「そして…、さらによかったことは、もう飛行機が怖くなくなったのです」

マキスも認めているように（またCHAPTER 1でも見てきたように）組織や個人のビジネスモデル改革は止まることがありません。モデルは最低でも数年間は使えますが、やがて変更を迫られるでしょう。あなたのパーソナル・ビジネスモデルは、確実に進化していきます。その進化は、必ずしも時代の変化に対応するものでなくても、その間にあなたが培ってきた経験全てを反映しているのです。新しい絵を描くべき時が来たら、再び『ビジネスモデルYOU』が、あなたの道を照らし、励ましを与えられるよう願っています。

『ビジネスモデルYOU』には こんな使い方もあります

ビジネスと個人のファイナンスの基礎を教える方法として

世界中で、主に大学院レベルでの戦略論、起業論、デザイン論を教えるために、ビジネスモデルのキャンバスが使用されています。同じようにキャンバスは、大学生にとってもビジネスの基本を学ぶための理想的なツールです。企業の成り立ちを学習するための、明確で理解しやすい方法だからです。同様に私たちは、パーソナル･キャンバスが、高校生のキャリア教育や、個人のファイナンス教育における強力なツールになり得ると思っています。

キャリアコーチングツールとして

フォーラムメンバーの多くは、パーソナル・ビジネスモデルがコーチングツールとして力を発揮する場面を目の当たりにしてきました。『ビジネスモデルYOU』で紹介されている事例は、フォーラムメンバーが実際に経験した実例です。

個人のカウンセリングツールとして

96ページでは、仕事とは関係ない役割――例えば、配偶者、友達、親としてのキャンバスを描くことについて話しました。フォーラムメンバーの間では、このようにキャンバスを使用して成功した例が多数報告されています。専門のカウンセラーは、パーソナルキャンバスを描くワークを基盤として、価値あるエクササイズを開発することができるでしょう。

組織での年間評価／人材開発として

毎年従業員の評価を行っている人事担当者にとって、パーソナル・ビジネスモデルは、従業員が組織に与えた価値を検証するための仕組みとして利用できます。先進的な企業は、従業員が労働時間外にも自分の価値を高められるよう、パーソナル・キャンバスを使うことを奨励するかもしれません。

パーソナル・ビジネスモデルをサポートするためのソフト

紙、ポスター、マーカーや付箋を使うのは効果的で楽しいですが、ソフトウェアを使うことで全く新しいレベルでキャンバスを体験できます。iPadやウェブで使えるビジネスモデルツールボックスは、ビジネスモデルを描き、評価し、解釈し、共有し、協力し、繰り返し、ピボットを行うためのツールです。このソフトでは、あり合わせのメモに描くような速度、スプレッドシートの利便性を得ることができます。

またユーザーは各ブロックのラベルと中身を、パーソナル・ビジネスモデルに合わせて変更できます。パーソナル・ビジネスモデル専用バージョンでは、この本で紹介されているツールが電子バージョンで提供され、ユーザーが興味やスキル、能力、個性（キーリソース）を評価できるようになっています。

無料アカウントを手に入れて、
パーソナル・ビジネスモデルをオンラインで
創りましょう。
www.businessmodeltoolbox.com

最後に振り返ってみると、副題について誤解があったかもしれません。

お詫び申し上げます。

本書の副題には、『1ページメソッド』と書かれていますが、

もし、あなたが『ビジネスモデルYOU』で紹介したエクササイズを少しでも

行ったのであれば、数十枚もの紙を使ったことでしょう。

しかし、その結果は、すばらしいものだったと思いませんか?

最後に:ここでの対話は**BusinessModelYou.com**にて続いていきます。

このサイトは本書が生まれた場所でもあります。

是非、**BusinessModelHub.com**のコミュニティに入ることを検討して

みてください。実際に組織でビジネスモデル思考を行っている人が

集っている世界的なコミュニティです。

Extras 最後に

ビジネスモデルYOU 誕生の背景にある、
人々やリソースの話

ビジネスモデルYOU コミュニティ

この本は328人のプロフェショナルと共同制作されました。
彼らは以下の国から参加しています。
アルゼンチン、オーストラリア、オーストリア、ベルギー、ブラジル、カナダ、チリ、中国、コロンビア、コスタリカ、デンマーク、エストニア、フィンランド、フランス、ドイツ、ギリシア、ハンガリー、アイルランド、イタリア、日本、ヨルダン、韓国、メキシコ、ニュージーランド、ナイジェリア、ノルウェー、パナマ、パラグアイ、ポーランド、ポルトガル、ルーマニア、シンガポール、南アフリカ、スペイン、スウェーデン、スイス、チェコ共和国、オランダ、トルコ、英国、アメリカ、ウルグアイおよびベネズエラ。
彼らの洞察、サポート、グローバルな視点は、パーソナル・ビジネスモデルの流行を引き起こしました。

共同制作者のリストは８～９ページに載っています（何名かは6 ～ 7ページに、順不同で写真が掲載されています）。また、特にこの本を制作するにあたって貢献いただいた以下の方々へお礼を申し上げます。

ジェル・バートルズ、ユタ・ボッシュ、スティーブ・ブルックス、エルンスト・ビューゼ、ハンク・バイイントン、デイブ・クラウザー、マイケル・エスタブルック、ボブ・フェアリス、ショーン・ハリー、ブルース・ヘイゼン、タニア・ヘス、マイク・ラシャペル、ヴィッキ・リンド、フラン・モーガ、マーク・ニーウェンホーゼン、ゲーリー・パーシー、マリエク・ポスト、ダーシー・ローブルズ、デニース・テイラー、ローレンス・クウェク・スウェ・セン、イマニュエル・サイモン、ジェームズ・ワイリー

BusinessModelYou.comには、ディスカッション・フォーラムや、
印刷可能なパーソナルキャンバスがあります。そして最も重要なのは、
ビジネスモデル思考を使って自らの仕事や生活を向上させることに熱心な3000人が、
50カ国から集まっていることです（2012年10月現在）。会員登録は無料です。
日本語ページ：http://businessmodelyou.com/Japan/
また、**BusinessModelHub.com**への参加もご検討ください。
組織でビジネスモデル思考を活用する10000人超のメンバーが、世界中から集まっている
オンラインコミュニティーです（2012年10月現在）。こちらも会員登録は無料です。

Creator Bios 著者プロフィール

ティム・クラーク　著者

ティム・クラークは教授、起業家であり、パーソナル・ビジネスモデルの概念を創り出し、世界各地でトレーニングやワークショップを行っています。スタンフォード大学卒業後、日本へ渡り日本語を習得。帰国後はMBAを取得し、国際進出を専門としたコンサルティング会社を設立、上場企業との合併を果たしました。その経験を生かしてオレゴン州立大学ポートランド校の大学院で起業学の講師を務め、異国間のビジネスモデルの適応性をテーマに、一橋大学大学院で博士を取得。著書・共著に『ビジネスモデル・ジェネレーション』、『日本人が知らない“儲かる国ニッポン” 外国人起業家が教える成功術』など。現在、筑波大学教授。

TimClark.net

アレクサンダー・オスターワルダー　共著者

アレクサンダー・オスターワルダーは起業家、講演者、作家。ベストセラー『ビジネスモデル・ジェネレーション』の主著者で、本書は共著者のイヴ・ピニュールはじめ、45カ国からの470人の協力のもと出版されました。講演者としては、フォーチュン500に名を連ねる多数の企業が顧客。特別講義を、ウォートン、スタンフォード、バークレー、IESE、IMDなどの大学、大学院で行ってきました。ローザンヌ大学HECスクール経営学博士号取得。起業家として、ソフトウェアのStrategyzer社、エイズ、マラリア撲滅運動のNPO団体コンステレーションの共同創立者でもあります。

BusinessModelGeneration.com

イヴ・ピニュール　共著者

Dr.イヴ・ピニュールは1984年からローザンヌ大学で経営情報システムを教えています。
ジョージア州立大学、香港科技大学、ブリティッシュ・コロンビア大学客員教授。学術誌『*Systèmes d'Information et Management*』の編集長、『ビジネスモデル・ジェネレーション』の共著者でもあります。
ベルギー・ナミュール大学で博士号取得。

アラン・スミス
クリエイティブディレクター

アランはデザインを学んだ起業家で、その活動の場は、映画、テレビ、出版、広告、携帯アプリケーション、1日数十億データポイントを処理するウェブ・プラットフォーム作成まで、多岐にわたります。ヨーク大学・シェリダン大学共同デザインプログラム卒業後、トロント、ロンドンおよびジュネーブに拠点をもつ「変革エージェンシー」The Movement社を共同設立。人と組織の経営戦略推進を助ける画期的なソフトウェア開発会社Strategyzer社の共同創立者でもあります。

BusinessModelGeneration.com

トリッシュ・パパダコス　デザイナー

ビジュアル創造に幼い時から熱中してきたトリッシュは、カナダの先端的なアート・デザイン学校で勉強した後、ロンドンでデザインの修士を取得。キャリア成長を目的とした登録サービスを運営するThe Institute of Youを設立。グルメ、写真家、旅行者、起業家でもあり、職人、シェフ、思想のリーダーとのコラボレーションを行ってきました。

flavors.me/trishpapadakos

メーガン・レイシー
エディター

言葉の達人であり、ランニングの伝道者でもあるメーガンは、キャリアを再構築している時にビジネスモデルYOUのチームに参加しました。出版社で数年、編集者を務めた後、大学に短期間、ライティングインストラクターとして勤務。この時の素晴らしい体験から、教える資格の取得を決意。ワシントン州立大学教育学修士取得、現在、ワシントン州立高校で国語を教えています。ウルトラマラソンを3回完走。

パトリック・バンデルパイル
プロダクションアシスタント

パトリックは、アムステルダムを本拠として国際ビジネス・モデル・コンサルタント業を営む、ビジネスモデルインク社の創立者兼CEOです。起業家、会社役員やそのスタッフ・チームが、ビジュアル化、ストーリーテリングなどのビジネス・モデリング技術を使って、より良いビジネスをデザインできるよう支援しています。国際的ベストセラー『ビジネスモデル・ジェネレーション』のプロデューサー。

BusinessModelsInc.com

著者注

1 ― **8ページ**
『*ビジネスモデルYOU*』で紹介している人物には、著者か共著者がインタビューを行っています。いくつかのケースでは、プライバシーに配慮して名前や写真を変更しています。

2 ― **20ページ**
Manpower Groupによる2010年11月の調査

3 ― **20ページ**
アレクサンダー・オスターワルダー、イヴ・ピニュール『*ビジネスモデル・ジェネレーション ビジネスモデル設計書*』(小山龍介訳、翔泳社2012年)(原題:*Business Model Generation*)

4 ― **51ページ**
"Revenue at Craigslist Is Said to Top $100 Million" The New York Times, 6/9/2009

67ページ
David white撮影

5 ― **85ページ**
Richard N. Bolles, "*What Color Is Your Parachute?*" Ten Speed Press, 2011

6 ― **88ページ**
マーカス・バッキンガム『*最高の成果を生み出す6つのステップ*』(加賀山卓朗訳、日本経済新聞出版社2008年)(原題:*Go Put Your Strengths to Work*)

7 ― **90ページ**
Tom Rath "*StrengthsFinder 2.0*" Gallup Press, 2007

8 ― **91ページ**
George Kinder "*Lighting the Torch: The Kinder Method™ of Life Planning*" FPA Press, 2006

9 ― **93ページ**
Reproduced with permission
from Richard N. Bolles, "*What Color Is Your Parachute?*" Ten Speed Press, 2011, p. 181

10 ― **99ページ**
キャシー・コルベは4つめの要素、意思(Will)をあげています(著書"*The Conative Connection*")。彼女のコルベ・インデックス(適性検査)は、多くの組織で採用されています。

11 ― **109ページ**
ジョン・L・ホランドの"*Making Vocational Choices: A Theory of Careers*"(Prentice-Hall, 1973)記載のエクササイズを、BMYフォーラムメンバーである心理学者のデニース・テイラーとDr.ショーン・ハリーの協力のもと行いました。

12 ― **109ページ**
John L. Holland "*Manual for the Vocational Preference Inventory*"

１３－**109ページ**
厳密にいえば、ホランドの理論では720（6×5×4×3×2×1）の個性の「タイプ」があります。

１４－**121ページ**
同様のフィードバックは、キャリア・カウンセラーから、あるいはCheckster.com. などのウェブ上のサービスからも得られます。これらのエクササイズに関しては、特にフォーラムメンバーのデニース・テイラーの協力に感謝します。

１５－**126ページ**
Alain de Botton “*The Pleasures and Sorrows of Work*” Pantheon, 2009

１６－**126ページ**
同上

１７－**128ページ**
Leil Lowndes “*How to Talk to Anyone*” McGraw-Hill, 2003

１８－**140ページ**
David Sibbet “*Visual Meetings*” Wiley, 2010から著者の許可を得て引用

１９－**153ページ**
Carmine Gallo “*The Innovation Secrets of Steve Jobs: Insanely Different Principles for Breakthrough Success*” McGraw-Hill, 2010

２０－**153ページ**
松本大の発言部分の原文はAllen Minerによる英訳

２１－**163ページ**
Srikumar RaoのGoogle社での2008年の講演を、本人の許可を得て再現

162ページ
Srikumar Raoの写真は Paresh Gandhi撮影

２２－**166ページ**
Srikumar Rao “*Are You Ready to Succeed?*” Hyperion, 2005

２３－**168ページ**
ロザモンド・ストーン・ザンダー、ベンジャミン・ザンダー『*チャンスを広げる思考トレーニング*』(田中志ほり訳、日経ＢＰ社2002年）(原題：*The Art of Possibility*)

２４－**170ページ**
同上

２５－**173ページ**
アレクサンダー・オスターワルダー、イヴ・ピニュール『*ビジネスモデル・ジェネレーション ビジネスモデル設計書*』(小山龍介訳、翔泳社2012年）(原題：*Business Model Generation*)

２６－**176ページ**
Ellen McGirt “*Al Gore's $100 Million Makeover*” Fast Company, July 1, 2007

176ページ
Al Goreの写真は World Resources Instituteスタッフによる撮影

196ページ
J.D. Rothの写真はAmy Jo Woodruff撮影

２７－**211ページ**
エミリーは仮名ですが、実在の人物です。

２８－**225ページ**
スティーブン・G・ブランク『*アントレプレナーの教科書*』(渡邊哲、堤孝志訳、翔泳社2009年）(原題：*The Four Steps to the Epiphany*)

２９－**237ページ**
1ページに収まる効果的な提案を準備するのは、大きな努力を要することであり、本書の目的と範囲を超えてしまうので、詳細については、パトリック・G・ライリー『*鉄則！　企画書は「1枚」にまとめよ*』(池村千秋訳、阪急コミュニケーションズ2003年）(原題：*The One-Page Proposal*) を参照して下さい。

※邦訳が出ている書籍に関しては、邦訳の情報と原書名を記載しています——訳者

解説

訳者　神田昌典

ビジネス書の著者として、悔しいが、これは認めざるを得ない——本書は、十年に一冊でるかでないかの良書である。

理由は、論より証拠。本書内容を実践すれば、結果がでてしまうからである。

どれも「ちょっとした気づきを得た」というレベルではなく、「仕事の意味を転換してしまう」ほどの事例である。私自身も、本書ノウハウに従って、自分のビジネスモデルを構築したところ、ほんの3時間で、長年の心理的葛藤が見事に氷解。未来の「自分」に向かうための歯車をきちんと噛み合わせられ、思いっきり、前進する自信が得られた。

本書の効果は、頭の中だけに、留まるものではない。ビジネスモデルという概念だけではなく、それを実現していくための出会いも与えてくれる。なぜなら、本書の前作『ビジネスモデル・ジェネレーション　ビジネスモデル設計書』により、すでに読者コミュニティが生まれているからだ。同著は、まだ翻訳書が出ていない段階から、有志による読書会が多数開催されはじめた。参加者はビジネスパーソンだけでなく、教員、起業家、クリエーターをはじめとする300人超。ビジネス書をきっかけに、これほどの出会いが生まれるケースは、いまだかつて聞いたことがない。

こうしたムーブメントが起った後での、『ビジネスモデルYOU《ユー》』の出版は、極めてタイムリーだ。国家戦略会議において「40歳定年制」が本格的に議論されはじめ、ほんの数年前まで誰もが高収益企業と疑わなかった大手企業が、大幅赤字に転落、大規模リストラを余儀なくされている。ひとつの会社に人生を委ねることは、もはや夢物語になりつつある現在 —— 誰もが自らのキャリアについて根本から見直さなければならない。

しかも、それが必要なのは、大人ばかりではない。平成18年に60年ぶりに改正された教育基本法により、キャリア教育は小中学生から推進されるようになっている。しかし現場の教師の声を聞くと、正直、困り果てている。なぜなら従来からの職業観が崩れ始めている現在、何を、どう教えれば、自立し続けることができる力を提供できるのか、明確な答えを提供する指導法が確立されてないないからである。

大きな社会変革が相次ぎ、将来が見えなくなっている現在、誰もが不安を感じているキャリアに関して、体系的なツールを提供したのが本書である。一般的なビジネス書は、収入や安定などの表層的な願望を扱うことで終始してしまいがちだが、本書は人生の意味を深く見つめ直していく人間哲学にいたるまで、体系的に書かれている。まさに理想的なキャリア教育についての教科書として、数十年にわたり、読み継がれていくことになるだろう。

本書を最大限に活用するためには、ペンと紙、そして付箋紙を持って、ひとり部屋に閉じこもってもいい。しかし自分の姿は鏡に映さないと分からないように、自分の才能を映し出すためには「他人との対話」という鏡を借りなくてはならない。本書をきっかけとした読書会や勉強会が開催されるだろうから、ネットで検索しピンとくるものがあれば、ぜひ参加してみることをお勧めしたい。そこから、あなたの自身のビジネスモデルの歯車が、音をたてて、回転しはじめるはずだ。

神田昌典

かんだ まさのり
経営コンサルタント・作家
日本最大級の読書会『READ FOR ACTION リード・フォー・アクション』主宰

上智大学外国語学部卒。ニューヨーク大学経済学修士、ペンシルバニア大学ウォートンスクール経営学修士。
大学3年次に外交官試験合格、4年次より外務省経済部に勤務。戦略コンサルティング会社、米国家電メーカーの日本代表として活躍後、1998年、経営コンサルタントとして独立。コンサルティング業界を革新した顧客獲得実践会（のちに「ダントツ企業実践会」、現在は休会）を創設。同会は、のべ2万人におよぶ経営者・起業家を指導する最大規模の経営者組織に発展、急成長企業の経営者、ベストセラー作家などを多数輩出した。2007年、総合誌で“日本のトップマーケター”に選出。現在、ビジネス分野のみならず、教育界でも精力的な活動を行っている。現在は、株式会社ALMACREATIONS代表取締役、公益財団法人・日本生涯教育協議会の理事を務める。

≪著書≫
『60分間企業ダントツ化プロジェクト』『2022 ― これから10年活躍できる人の条件』、翻訳書に、『あなたもいままでの10倍早く本が読める』(ポール・シーリィ著)、『ザ・マインドマップ』(トニー・ブザン著)、『バブル再来』(ハリー・S・デント著）をはじめ、累計出版部数は250万部を超える。

日本語版制作協力者について

本書の翻訳は、神田裕子との共同作業で行いました。また本書内容をスムーズに実践いただくため、言葉の選択につきましては、W.A.R.M、木村祥子氏、および『ビジネスモデルYOU』読書会にご参加の方をはじめとした77名の有志の方々から、貴重なご意見をいただきました(有志の皆様は次ページでご紹介しています)。

W.A.R.M (World Alliance Reading Magazine)

ビジネス洋書マガジン。今世界で話題となっているビジネス洋書の情報とともに日本のビジネス書を海外に発信。日本と海外のビジネスパーソンを各国のベストセラー書籍で橋渡ししている国際プロジェクト。https://www.facebook.com/warmjapan

渡邉 康弘

わたなべ やすひろ●青山学院大学経済学部卒。リーディング・ファシリテーター。在学中よりITベンチャーで働き、NPO法人や映像ベンチャーなど様々な組織・企業の事業創出に携わる。現在、ベンチャー企業に勤務の傍ら、W.A.R.Mなどをはじめプロジェクトや読書会などの企画・プロデュースを行っている。

末吉 大希

すえよし だいき●国際基督教大学教養学部卒。リーディング・ファシリテーター。在学中にブリティッシュコロンビア大学（カナダ）、ヴェクショー大学（スウェーデン）に留学。英語、スウェーデン語、フランス語を習得。ビジネス洋書を中心に読書会を開催。学生から社会人、10代～50代と幅広い層の支持を得ている。

木村 祥子

きむら さちこ●米国NLP協会認定NLPトレーナー、リーディングファシリテーター。大手製造系企業の勤務を経て、2010年、米国NLP協会認定NLPトレーナーとなる。その後、2011年に「READ FOR ACTION」参加。「新しい働き方」をテーマに始めた読書会は、開催30回を超え500人以上を動員。現在はNLPを活用したビジネスコーチングをはじめ、ビジネスの現場で活用できる心理学を展開中。

日本中にムーブメントを起こした『ビジネスモデルジェネレーション読書会』

本書でも紹介している「ビジネスモデル・ジェネレーション ビジネスモデル設計書」を課題本とし、北海道から沖縄まで全国11ヶ所、計22回の読書会を開催。総動員数は400名になる。この読書会とは、15名～25名の参加者全員で本を読み、得た知識を統合、ビジネスモデルをデザインするワークを体験するもの。今では読書会のみならず日本中の至るところで、ビジネスモデルをデザインする勉強会が開催されるというムーブメントが起きている。

赤坂英彦 Hidehiko Akasaka
東安雄 Yasuo Azuma
阿部憲夫 Norio Abe
猪飼幸洋 Yukihiro Ikai
石榑隆典 Takanori Ishigure
今井渉 Wataru Imai
今村順一 Junichi Imamura
岩野聡美 Satomi Iwano
臼田孝史 Takashi Usuda
宮田詩子 Utako Miyata
内田賢 Ken Uchida
内山孝祐 Kosuke Uchiyama
大久保祐子 Yuko Ohkubo
大西隆志 Takashi Oonishi
大橋正俊 Masatoshi Ohashi
岡田和智 Kazunori Okada
岡田真由美 Mayumi Okada
小笹晴代 Haruyo Ozasa
大日方誠 Makoto Obinata
海法真司 Shinji Kaiho
かがみ洋子 Yoko Kagami
鍵原季宏 Toshihiro Kagihara
木村祥子 Sachiko Kimura
久木田裕常 Hirotsune Kukita
後藤康之 Yasuyuki Goto
近藤洋一 Yoichi Kondo
斎藤恭子 Kyoko Saito
酒井利之 Toshiyuki Sakai
佐久間史泰 Noriyasu Sakuma
左澤百合子 Yuriko Sazawa
佐竹宏範 Hironori Satake
佐藤一弘 Kazuhiro Sato
佐藤直美 Naomi Sato
沢柳知治 Tomoharu Sawayanagi
柴田重臣 Shigeomi Shibata
白鳥　徹 Tetsu Shiratori
末吉大希 Daiki Sueyoshi
鈴木順子 Junko Suzuki
須藤雄大 Yuta Suto
須藤祥代 Sachiyo Sudo
須藤緩奈 Canna Sudo
須藤真臣 Masaomi Sudo
園田晃子 Akiko Sonoda
高橋博志 Hiroshi Takahashi
田窪正則 Masanori Takubo
田辺裕美子 Yumiko Tanabe
田沼純雄 Sumio Tanuma
土田直久 Naohisa Tsuchida
徳原晋一 Shinichi Tokuhara
飛澤宗則 Munenori Tobisawa
豊川博己 Hiroki Toyokawa
長江浩介 Kosuke Nagae
中西陽一 Youichi Nakanishi
成田安子 Yasuko Narita
西尾伸介 Shinsuke Nishio
橋本絢 Aya Hashimoto
長谷川多佳子 Takako Hasegawa
波田野浩史 Hiroshi Hatano
濱田真里 Mari Hamada
藤江裕子 Yuko Fujie
藤田秀介 Shusuke Fujita
藤原嘉奈子 Kanako Fujiwara
本多大輔 Daisuke Honda
本間智恵 Chie Honma
前多昌顕 Masaaki Maeta
眞柴亮 Ryo Mashiba
松岡良亮 Ryosuke Matsuoka
松宮良和 Yoshikazu Matsumiya
松矢明宏 Akihiro Matsuya
三木姿乃 Shino Miki
宮脇利夫 Toshio Miyawaki
茂木葉子 Yoko Motegi
柳よしひこ Yoshihiko Yanagi
山口彩紀 Saki Yamaguchi
山崎由美子 Yumiko Yamazaki
山本伸 Shin Yamamoto
山本雄士 Yuji Yamamoto
吉田由貴子 Yukiko Yoshida
李春明 Lee Chunmyong

（五十音順 敬称略）

YOU

本書内容に関するお問い合わせについて

このたびは翔泳社の書籍をお買い上げいただき、誠にありがとうございます。弊社では、読者の皆様からのお問い合わせに適切に対応させていただくため、以下のガイドラインへのご協力をお願い致しております。下記項目をお読みいただき、手順に従ってお問い合わせください。

●ご質問される前に
弊社Webサイトの「正誤表」をご参照ください。これまでに判明した正誤や追加情報を掲載しています。
正誤表　http://www.shoeisha.co.jp/book/errata/

●ご質問方法
弊社Webサイトの「刊行物Q&A」をご利用ください。
刊行物Q&A　http://www.shoeisha.co.jp/book/qa/

●郵便物送付先およびFAX番号
送付先住所 〒160-0006　東京都新宿区舟町５
FAX番号　03-5362-3818
宛先　　（株）翔泳社 愛読者サービスセンター

インターネットをご利用でない場合は、FAXまたは郵便にて、
下記 "翔泳社 愛読者サービスセンター" までお問い合わせください。
電話でのご質問は、お受けしておりません。
回答は、ご質問いただいた手段によってご返事申し上げます。ご質問の内容によっては、
回答に数日ないしはそれ以上の期間を要する場合があります。

●ご質問に際してのご注意
本書の対象を越えるもの、記述個所を特定されないもの、また読者固有の環境に起因するご質問等にはお答えできませんので、予めご了承ください。

※本書に記載された URL 等は予告なく変更される場合があります。
※本書の出版にあたっては正確な記述につとめましたが、著者や出版社などのいずれも、本書の内容に対してなんらかの保証をするものではなく、内容やサンプルに基づくいかなる運用結果に関してもいっさいの責任を負いません。
※本書に掲載されているイメージなどは、特定の基づいた環境にて再現される一例です。
※本書に記載されている会社名、製品名はそれぞれ各社の商標および登録商標です。

翔泳社の WEB「ビジネスモデルYOU」

http://www.shoeisha.com/book/hp/BMY/

本書『ビジネスモデルYOU』の内容解説や、読書会および各種出版イベント情報、日本人の事例などをご紹介しています。ご興味のある方は覗いてみてください。

訳者紹介

神田昌典　かんだ まさのり
経営コンサルタント・作家
日本最大級の読書会
『READ FOR ACTION（リード・フォー・アクション）』主宰

上智大学外国語学部卒。ニューヨーク大学経済学修士、ペンシルバニア大学ウォートンスクール経営学修士。
大学３年次に外交官試験合格、４年次より外務省経済部に勤務。戦略コンサルティング会社、米国家電メーカーの日本代表として活躍後、1998年、経営コンサルタントとして独立。コンサルティング業界を革新した顧客獲得実践会（のちに「ダントツ企業実践会」、現在は休会）を創設。同会は、のべ２万人におよぶ経営者・起業家を指導する最大規模の経営者組織に発展、急成長企業の経営者、ベストセラー作家などを多数輩出した。
2007年、総合誌で"日本のトップマーケター"に選出。現在、ビジネス分野のみならず、教育界でも精力的な活動を行っている。現在は、株式会社ALMACREATIONS代表取締役、公益財団法人・日本生涯教育協議会の理事を務める。

≪著書≫
『60分間企業ダントツ化プロジェクト』『2022 ── これから10年活躍できる人の条件』、翻訳書に、『あなたもいままでの10倍早く本が読める』（ポール・シーリィ著）、『ザ・マインドマップ』（トニー・ブザン著）、『バブル再来』（ハリー・S・デント著）をはじめ、累計出版部数は250万部を超える。

STAFF

装丁	和田奈加子（round face）
ＤＴＰ／データ協力	アズワン（上田英治 宮本雅也）
翻訳協力	神田裕子
	木村祥子
	W.A.R.M（渡邉康弘 末吉大希）
	『ビジネスモデルYOU』読書会のみなさん
	平井義一（平井税理士事務所）
編集	江種美奈子（翔泳社）

●本書の翻訳に関して多大なる尽力とアドバイスを頂戴し、
完成に貢献いただいた今津美樹氏、小野寺景子氏、熊平美香氏、
堤孝志氏に感謝の意を表します。

ビジネスモデルYOU《ユー》

2012年10月25日　初版第1刷発行
2012年12月 5日　初版第2刷発行

著者	ティム・クラーク
共著	アレックス・オスターワルダー＆イヴ・ピニュール
訳者	神田昌典
発行人	佐々木 幹夫
発行所	株式会社 翔泳社（http://www.shoeisha.co.jp）
印刷・製本	凸版印刷株式会社

ISBN978-4-7981-2814-6
Printed in Japan